GH00381754

Les Droits
DES FEMMES
L'INÉGALITÉ EN QUESTION

CLÉMENTINE AUTAIN

LES ESSENTIELS MILAN

Sommaire

Corps et sexualités

Le droit de choisir 4-5
La contraception 6-7
L'avortement 8-9
La gynécologie 10-11
Le lesbianisme 12-13

Éducation et familles

La mixité à l'école 14-15
Le mariage 16-17
La maternité 18-19
La « parentalité » 20-21
Les politiques familiales (1) 22-23
Les politiques familiales (2) 24-25

Travail

Emploi, salaires, carrières 26-27
Chômage, précarité et temps partiels 28-29
Le travail domestique 30-31
La non-mixité des emplois 32
Les retraites au féminin 33
Quelles politiques publiques ? 34-35

Violences

Le viol 36-37
Les violences conjugales 38-39
Le harcèlement sexuel 40
Les mutilations sexuelles 41
La prostitution 42-43

Vie publique

Femmes et citoyenneté 44-45
La parité 46-47
Images des femmes 48-49
La féminisation du langage 50-51

Approfondir

L'histoire des femmes en personnes .... 52 à 54
Chronologie : l'émancipation des femmes
au XXᵉ siècle .... 55 à 57
Sigles et glossaire .... 57 à 59
Bibliographie .... 59 à 61
Adresses utiles .... 61 à 63
Index 63

Les mots suivis d'un astérisque (*) sont expliqués dans le glossaire.

L'ÉMANCIPATION DES FEMMES

L'ÉMANCIPATION DES FEMMES

Le XXᵉ siècle a été marqué par un mouvement sans précédent d'émancipation des femmes. Des pans entiers de notre législation ont été refondus, battant en brèche le système patriarcal. La distribution traditionnelle des rôles sociaux (sphère familiale et domestique pour les femmes / sphère publique pour les hommes) a été largement remise en cause. Depuis 1946, le principe d'égalité entre les hommes et les femmes est inscrit dans notre Constitution. Ces conquêtes sont notamment le fruit de mouvements féminins et féministes, qui connurent leur apogée dans les années 1970. Pour autant, la place des femmes dans la société reste conditionnée par la domination masculine. Les stéréotypes subsistent et les inégalités se perpétuent, en prenant parfois de nouvelles formes. Le partage des tâches et des responsabilités est loin d'être réalisé. Cet ouvrage propose un état des lieux des droits des femmes en France, mettant l'accent sur le décalage entre l'égalité formelle et les inégalités réelles. Il mêle références historiques, juridiques et sociologiques. Bien que non exhaustif et se limitant à la situation française, le champ couvert est très large tant la question a des implications dans tous les moments de la vie.

Le droit de choisir

Grâce à la mobilisation de divers mouvements, notamment féministes, les femmes ont acquis le droit à la contraception et à l'avortement. Une véritable révolution pour l'émancipation des femmes et pour la libération de la sexualité, ainsi dissociée de la procréation.

Les luttes néomalthusiennes et les lois de 1920

C'est au tournant du XIXe et du XXe siècle que la libre maternité devient une revendication politique. Les néomalthusiens* prêchent la « grève des ventres ». Parallèlement, se développe un mouvement nataliste, conservateur et catholique. Dans le contexte de l'après Première Guerre mondiale, la visée nataliste l'emporte. Dès 1920, de nouvelles lois répriment la complicité et la provocation à l'avortement ainsi que toute propagande « anticonceptionnelle ».

La loi dite Neuwirth (1967)

En 1956, Marie-Andrée Lagroua Weill-Hallé (1916-1994) crée la Maternité heureuse, futur Mouvement français pour le planning familial*. La première pilule est mise en vente aux États-Unis en 1960. Le débat sur la contraception devient d'actualité en France à l'occasion de la campagne présidentielle de 1965, le contrôle des naissances étant alors défendu par la gauche. C'est pourtant un député de droite, Lucien Neuwirth, qui parvient à convaincre le général de Gaulle (1890-1970) de libéraliser la contraception. En 1967, après de vifs débats, une loi est adoptée dans ce sens. Un an plus tard, l'encyclique *Humanae vitae* réaffirme l'opposition de l'Église catholique aux méthodes contraceptives.

La loi dite Veil (1975)

Les avortements clandestins ne diminuent pas pour autant. Ils causent régulièrement des décès et sont à

L'avortement à l'Assemblée

« C'est de la barbarie organisée et couverte par la loi comme elle le fut, hélas, il y a trente ans, par le nazisme en Allemagne. » Le député RPR Jacques Médecin (1928-1998) s'adressant à Simone Veil, dont la famille juive a été déportée.

corps et sexualités | éducation et familles | travail

l'origine de nombreux cas de stérilité. En 1971, paraît le « Manifeste des 343 » : des femmes célèbres déclarent avoir avorté et réclament l'avortement libre. Le MLF s'empare de la revendication : grandes manifestations, réunions publiques… Le gouvernement, sensible à l'argument de santé publique, entend surtout mettre fin au désordre public. Ainsi, le président de la République Valéry Giscard d'Estaing charge Simone Veil, ministre de la Santé, de libéraliser l'avortement. À l'issue de débats parlementaires d'une extrême violence, la loi est promulguée en 1975 : « La femme que son état place dans une situation de détresse peut demander au médecin l'avortement avant la fin de la dixième semaine de grossesse. »

Remboursement de l'IVG

Promis par le candidat François Mitterrand (1916-1996) en 1981, le remboursement de l'IVG par la Sécurité sociale est inscrit dans la loi dès 1982.

Le délit d'entrave à l'IVG (1993)

Face au retour de l'ordre moral et à la multiplication de commandos anti-IVG, Véronique Neiertz, secrétaire d'État aux Droits des femmes, propose une loi relative à l'entrave à l'IVG. Adoptée en 1993, celle-ci pénalise les actions contre les centres IVG et les manifestations aux abords des établissements de santé.

La réforme de 2001

La loi du 4 juillet 2001 a modifié et actualisé les dispositions légales antérieures. Le délai pour avorter est allongé, passant de 10 à 12 semaines. L'autorisation parentale requise pour les mineures est aménagée, avec la possibilité de remplacer le parent par un adulte référent. L'accès à la contraception d'urgence est facilité, notamment pour les mineures. En outre, le délit de propagande et de publicité liée à l'IVG et aux méthodes contraceptives est supprimé. La consultation préalable auprès d'un professionnel du social n'est plus obligatoire pour les femmes majeures. Enfin, mesure hautement symbolique, l'avortement est retiré du Code pénal et relève désormais du Code de la santé publique.

Le xxe siècle est marqué par un mouvement en faveur de la libre maternité, qui débouche sur le vote de lois libéralisant la contraception et l'avortement.

La contraception

La possibilité légale de maîtriser sa fécondité est récente. À l'orée du XXIᵉ siècle, quelles sont les pratiques contraceptives des Françaises ?

Les méthodes contraceptives

Avant l'arrivée des méthodes modernes, les couples ont eu recours à une multitude de moyens pour éviter une grossesse. Depuis les années 1980, la pilule a détrôné le coït interrompu (retrait) comme principal moyen de contraception : elle est aujourd'hui prise par plus de 60 % des Françaises qui utilisent une méthode contraceptive ! Fondée sur la courbe des températures pour repérer la période d'ovulation, la méthode dite Ogino (du nom du médecin qui l'a trouvée) n'a vraiment plus la cote…

La pilule est une association d'hormones qui bloquent l'ovulation. Il en existe de nombreuses, différemment dosées pour permettre un choix adapté à chaque femme. Délivrée sur ordonnance, la pilule est parfaitement fiable si le mode d'emploi est scrupuleusement respecté. La pilule ne protège pas des MST et l'interaction avec le tabac est très néfaste. Les pilules les plus anciennes sont remboursées par la Sécurité sociale, contrairement aux plus récentes, dites de troisième et quatrième génération, souvent prescrites et dont le coût est élevé (de 15 à 25 euros la plaquette).

Deuxième méthode contraceptive la plus utilisée, le stérilet est un petit dispositif en forme de T, placé dans l'utérus, qui empêche la fécondation ou la nidation de l'œuf. Il peut rester en place trois à cinq années. Prescrit par le gynécologue, notamment aux femmes ayant déjà eu des enfants, il est remboursé par la Sécurité sociale.

Les spermicides, sous forme de crème, éponge ou ovule, à introduire dans le vagin, détruisent les spermatozoïdes. Non remboursés, ils ne sont ni faciles à utiliser, ni parfaitement fiables.

Vigilance…

Sur 100 grossesses accidentelles, 53 sont dues à un rapport non protégé, 32 à un rapport protégé par une méthode contraceptive insuffisamment efficace, 15 à un oubli de contraception.

corps et sexualités | éducation et familles | travail

Les préservatifs

Le préservatif masculin, en latex ou polyuréthane, qui s'adapte sur la verge, est un moyen anticonceptionnel. Mais, s'il protège des MST, le préservatif n'est pas parfaitement fiable sur le plan contraceptif : les accidents étant monnaie courante, il est conseillé de doubler les précautions avec un autre moyen de contraception, telle la pilule. En vente dans les pharmacies et les grandes surfaces, les préservatifs sont plus ou moins bon marché, de 15 centimes à 2 euros pièce environ.

Le préservatif féminin est arrivé en France en mai 1999. Peu esthétique mais plus résistant que le préservatif masculin, il permet aux femmes de mieux maîtriser leur sexualité.

La contraception d'urgence

Deux pilules dites du lendemain sont commercialisées en France. Contenant une forte dose d'hormones, elles doivent être prises dans les 72 heures suivant un rapport non protégé. Ces pilules sont accessibles librement en pharmacie, sans ordonnance et gratuitement pour les mineures. Depuis 2001, les infirmières scolaires peuvent administrer une contraception d'urgence aux élèves qui en ont besoin.

Quelle information ?

Dans le cadre scolaire, aucune éducation à la sexualité n'est dispensée. Les campagnes nationales d'information sur la contraception ne sont pas permanentes mais ponctuelles, ce qui en limite l'effet. Aujourd'hui, la sensibilisation à la contraception est essentiellement assurée par le Mouvement français pour le planning familial*, agréé par l'État, mais qui reste une association militante ne pouvant se substituer aux prérogatives des pouvoirs publics.

> La pilule a détrôné le coït interrompu comme méthode contraceptive. Le déficit d'information et l'absence d'éducation à la sexualité gênent la maîtrise de la fécondité.

L'avortement

Les femmes ont récemment conquis le droit d'avorter. Dans quelles conditions peuvent-elles aujourd'hui l'exercer en France ?

En nombres

Selon une étude de l'INED, près de 164 000 grossesses non désirées avaient été recensées en 1997. On comptait 22,5 avortements pour 100 naissances. Près de 8 % concernaient des mineures.

Fœtus

Même si le débat scientifique reste ouvert sur le sujet, la Cour de cassation a toujours statué en faveur de l'idée que le fœtus n'est pas un être humain.

Légende photo :
en janvier 2000, des milliers de manifestants défilent à Paris dans le cadre d'une journée nationale pour la défense des droits des femmes, notamment le droit à l'avortement acquis 25 ans plus tôt grâce à la loi Veil.

Qui peut recourir à une IVG ?

Le délai légal pour avorter est de 12 semaines de grossesse, soit 14 semaines d'aménorrhée*. Dans l'Union européenne les délais varient : 12 semaines de grossesse pour la Belgique, l'Allemagne et l'Autriche, 18 pour la Suède et jusqu'à la viabilité fœtale, soit 24 semaines, pour l'Espagne, la Grande-Bretagne, les Pays-Bas et la Suisse. Chaque année, des milliers de femmes, notamment des jeunes, dépassent le délai légal français et se rendent à l'étranger pour avorter, démarche difficile et très coûteuse. Les femmes étrangères peuvent recourir à une IVG en France, sans avoir besoin d'attester d'une résidence régulière sur notre territoire. Un médecin peut refuser de pratiquer une IVG, mais il doit alors informer sans délai l'intéressée de son refus et lui communiquer immédiatement le nom de praticiens susceptibles de réaliser l'intervention. Les frais relatifs à une IVG sont pris en charge par la Sécurité sociale, la plupart des mutuelles prenant à leur compte la part non remboursée.

Pour les mineures, une consultation sociale préalable est obligatoire avant l'IVG. En cas d'impossibilité de recueillir le consentement d'au moins un des titulaires de l'autorité parentale ou confrontée à une incompréhension familiale, la mineure peut se faire accompagner dans sa démarche par la personne majeure de son choix.

Les méthodes

Grâce aux progrès scientifiques, il existe aujourd'hui deux méthodes fiables, une chirurgicale et une médicamenteuse, pour pratiquer un avortement.

Le plus souvent, l'IVG est réalisée sous anesthésie par une aspiration. Cette opération nécessite une journée d'hospitalisation dans un hôpital ou une clinique

corps et sexualités | éducation et familles | travail

pratiquant ce type d'intervention. Le déficit des moyens mis à disposition des centres IVG pose de réels problèmes et de fortes disparités s'observent suivant les régions et départements. Une part importante des avortements est réalisée dans des structures privées.

Chez les femmes de moins de 35 ans et avant le quarante-neuvième jour de grossesse, la pilule abortive peut être utilisée. Il s'agit d'une antihormone qui s'administre sans anesthésie : la « RU486 » (Roussel Uclaf) est prescrite sur ordonnance.

Les commandos anti-IVG

La dépénalisation de l'avortement a généré des mouvements de résistance. Des cliniques et des hôpitaux sont régulièrement attaqués en France par des commandos anti-IVG. Ces actions violentes sont relayées par des techniques de lobbying et une intervention auprès des femmes enceintes en difficulté pour les culpabiliser et les dissuader d'avorter. Autres méthodes : la dégradation de locaux tels ceux du Mouvement français pour le planning familial* ou des menaces écrites envers des militantes pour le droit à l'avortement. Les liens de ces mouvements avec l'extrême droite et certains courants du catholicisme intégriste ont été établis.

> Le délai légal pour avorter en France est de 12 semaines de grossesse. L'IVG se pratique par un recours à une méthode chirurgicale ou médicamenteuse. Le manque de moyens des centres IVG et les commandos anti-IVG pèsent sur le droit à l'avortement.

La gynécologie

Du grec *gunê* (« femme ») et *logos* (« science »), la gynécologie est une spécialisation médicale consacrée à l'organisme féminin et à son appareil génital. Spécificité française qui a fait ses preuves pour la santé des femmes, la gynécologie médicale est aujourd'hui menacée.

Sécurité sociale

Les mères de famille ayant trois enfants ont droit à l'assurance maladie de façon permanente et gratuite.

Les cancers du sein et de l'utérus

En France, on estime qu'une femme sur 10 aura un cancer du sein. Cancer le plus fréquent chez les femmes, il survient surtout après 65 ans. En dépit de progrès considérables sur les plans préventif et curatif, on dénombre chaque année environ 25 000 nouveaux cas et 10 000 décès. S'il est décelé à temps par une mammographie, le cancer du sein peut être guéri.

Chaque année, 3 200 nouveaux cas de cancers du col de l'utérus occasionnent près de 1 600 décès. Seul le frottis cervico-vaginal* permet de dépister les lésions précancéreuses. Pour assurer une bonne prévention, ce frottis devrait être effectué par le gynécologue une fois par an, à partir de 30 ans.

D'autres cancers sont aussi spécifiquement féminins : cancers de l'endomètre*, de l'ovaire ou de la vulve.

MST et sida au féminin

Les MST sont dues à une vingtaine de micro-organismes (virus, bactéries, parasites). Des mycoses à l'hépatite, en passant par l'herpès vaginal, les MST sont très diverses, pouvant être bénignes ou mortelles. Le préservatif est le seul moyen pour éviter une contamination.

Le sida est une MST. La femme est particulièrement vulnérable face au virus du sida, le VIH, avec trois à huit fois plus de chances d'être contaminée qu'un homme. En effet, le VIH traverse plus facilement

Sida info service

0800 840 800 : 24 heures sur 24, anonyme et gratuit.

corps et sexualités | éducation et familles | travail

la muqueuse vaginale et le sperme reste plus longtemps dans les voies génitales. Le virus attaque principalement certains globules blancs qui permettent à l'organisme de se défendre contre les maladies. Alors que la communauté gay (masculine) a longtemps été la principale touchée, de plus en plus de femmes sont concernées. On compte aujourd'hui une femme contaminée pour trois hommes alors qu'en 1988 la proportion était d'une femme pour sept hommes.

La ménopause

Étape de la vie génitale féminine marquée par l'arrêt des règles, la ménopause touche les femmes aux alentours de 50 ans. Elle marque la fin de la capacité reproductrice par l'arrêt du fonctionnement ovarien. Chaque femme vit sa propre ménopause en fonction de sa nature, de sa culture et de son histoire. Les manifestations peuvent être multiples et d'intensité variable : bouffées de chaleur, état dépressif, insomnies, fatigue, ostéoporose*, prise de poids, altérations cutanées, perte d'appétit sexuel… Ces différents symptômes peuvent être évités ou diminués grâce à un traitement hormonal substitutif (THS), utilisé par environ 20 % des femmes.

La disparition de la gynécologie médicale

Supprimé en 1986 sous prétexte d'harmonisation européenne, l'enseignement de la gynécologie médicale a été rétabli en août 2000 par un arrêté du gouvernement. Avec un bémol : le nouveau diplôme d'études spéciales créé pour l'occasion fait de la gynécologie médicale une simple option d'une spécialité chirurgicale de gynécologie obstétrique*.

Le suivi régulier et le dépistage précoce par les gynécologues ont fait leurs preuves. Les Françaises connaissent, par exemple, un taux de survie au cancer du sein nettement supérieur à celui des femmes des autres pays européens où la discipline n'existe pas.

Thyroïde
Survenant volontiers au moment de la ménopause, l'insuffisance thyroïdienne est 10 fois plus fréquente chez les femmes que chez les hommes. Les symptômes sont : fatigue, perte de poids, troubles de l'attention et de la mémoire, sécheresse cutanée…

Cancers du sein et de l'utérus ou ménopause sont autant de champs d'intervention médicale spécifiquement féminins. La gynécologie médicale permet d'améliorer la santé des femmes. Le sida touche de plus en plus de femmes.

Le lesbianisme

Si l'amour entre femmes a toujours existé, la reconnaissance des droits des lesbiennes et leur visibilité sont récentes. Aujourd'hui encore, celles-ci subissent une double discrimination, en tant que femme et en tant qu'homosexuelle.

L'invisibilité historique

La Grèce antique a valorisé l'homosexualité masculine et ignoré le lesbianisme*. Par la suite, l'homosexualité masculine a souvent fait l'objet de sanctions pénales spécifiques. La sodomie fut violemment réprimée tandis que, pour une femme, seul le travestissement en homme fut passible de la peine de mort, au XVIe siècle. Cette moindre attention s'explique notamment par le caractère prétendument incomplet de la sexualité lesbienne et l'absence de risque de grossesse. Derrière la neutralité apparente du droit, on peut lire le déni social et politique de la sexualité féminine en dehors du coït.

Au XIXe siècle, l'homosexualité est appréhendée comme une maladie, une perversion à soigner. Sous le gouvernement de Vichy (1940-1944), un délit spécifique est créé, relatif à l'homosexualité avec un mineur. Dans le cadre de la loi destinée à lutter contre les « fléaux sociaux » en 1960, l'homosexualité est citée au même titre que l'alcoolisme et la prostitution. En 1968, la France adopte la classification de l'OMS concernant les maladies mentales, parmi lesquelles figure l'homosexualité, par ailleurs fermement condamnée par l'Église catholique.

La dépénalisation de l'homosexualité et le PaCS

Dans la foulée de Mai 1968, des mouvements naissent pour défendre le droit à l'homosexualité. Les groupes lesbiens mettent l'accent sur les droits des femmes et

Sappho

Née dans l'île de Lesbos, au nord-est de la mer Égée, dans le dernier quart du VIIe siècle avant J.-C., Sappho est une poétesse connue aujourd'hui pour son amour des femmes. D'où les expressions « lesbienne » et « amours saphiques »...

corps et sexualités | éducation et familles | travail

la liberté sexuelle tandis que les gays dénoncent surtout la répression policière. Alimentées par la domination masculine qui se reproduit au sein de la communauté homosexuelle, des dissensions naissent entre gays et lesbiennes.

En 1982, à l'issue d'un débat houleux, la gauche dépénalise l'homosexualité : l'article 331 du Code pénal (« quiconque aura commis un acte contre nature avec un mineur de même sexe ») est supprimé. Cette victoire est hautement symbolique. En 1993, l'OMS cesse de définir l'homosexualité comme une maladie mentale.

Dans un contexte d'épidémie du sida dans les milieux gays, la décennie 1990 est marquée par la revendication d'un contrat socialement reconnu d'union entre deux personnes de même sexe. La loi sur le PaCS, votée en 1999, offre des droits nouveaux aux couples de même sexe, en matière de protection sociale et d'héritage.

Les lesbiennes en mouvements

Les mouvements lesbiens portent collectivement la volonté de visibilité et de reconnaissance des amours entre femmes. Mais ils sont loin d'être monolithiques. Les lesbiennes radicales, elles-mêmes aux prises avec de vifs débats internes, défendent une posture politique de contestation de l'hétéro-patriarcat* quand d'autres groupes associatifs sont plus tournés vers la dimension culturelle et conviviale.

Leur engagement porte progressivement ses fruits. L'homosexualité tend à être considérée comme une orientation sexuelle, issue d'un libre choix. La lesbophobie* reste néanmoins profondément ancrée. D'ailleurs, très peu de femmes célèbres se revendiquent lesbiennes ou sont connues pour l'être, contrairement à l'homosexualité masculine qui a des référents connus dans le monde culturel ou politique. Le contexte social rend plus difficile le *coming out** lesbien.

Lesbian and Gay Pride

La « Gay Pride », manifestation annuelle très populaire de la « fierté gay », s'est transformée, en 1995, en « Lesbian and Gay Pride ». Cette modification symbolise une évolution en faveur de la prise en compte des lesbiennes.

Ligne Azur

Pour exprimer ses difficultés liées à l'orientation sexuelle : 0801 203 040.

Le lesbianisme a longtemps fait l'objet d'un déni social. La dépénalisation de l'homosexualité et le PaCS constituent des avancées pour les droits homosexuels. La lesbophobie reste très ancrée.

La mixité à l'école

L'accès à l'éducation constitue un marchepied vers l'égalité. Au cours du XXe siècle, les filles sont entrées massivement dans l'institution scolaire, et avec brio. L'égalité y est-elle pour autant assurée ?

L'accès des filles à l'enseignement

Au XVIIIe siècle, l'instruction des filles était interdite pour ne pas les détourner de leur rôle au sein de la famille. Au XIXe siècle, le principe est admis mais à condition que cette éducation reste différente et inférieure à celle des hommes. Sous l'impulsion du député Camille Sée (1847-1919), l'enseignement secondaire laïque s'ouvre aux filles en 1880. Cependant, les programmes ne comportent ni latin, ni grec, ni philosophie mais des cours de couture et d'économie domestique. L'objectif est avant tout de former des mères et des épouses cultivées.

C'est au cours du XXe siècle que l'instruction des femmes se développe. En 1924, les programmes scolaires et les baccalauréats masculin et féminin deviennent identiques. À partir de 1938, les femmes peuvent s'inscrire à l'université sans l'autorisation de leur mari. Dans les années 1970, les bachelières sont aussi nombreuses que les bacheliers et la mixité scolaire se généralise. Si, en 1900, on comptait 624 étudiantes dans toute la France, elles sont 520 000 en 1990.

L'école réussit mieux aux filles

Aujourd'hui, de la maternelle à l'université, les filles obtiennent de meilleurs résultats que les garçons. Elles redoublent moins qu'eux à l'école primaire. Au collège, un garçon sur trois n'atteint pas la classe de 4e, contre une fille sur cinq. En outre, les filles sont moins souvent orientées vers les filières professionnelles à l'issue de la 3e et obtiennent des

Sexisme

Exemple donné pour expliciter la définition du mot « bain » dans un dictionnaire pour enfants : « Le président prend un bain de foule, Jeanne prend un bain de soleil. » Une illustration parmi d'autres du sexisme* dans les supports d'apprentissage...

corps et sexualités | éducation et familles | travail

résultats légèrement meilleurs au baccalauréat. Ainsi, 42 % des filles ont un bac, contre 32 % des garçons. Les femmes ont des diplômes supérieurs à ceux des hommes, quelle que soit la classe d'âge considérée.

Ségrégations et stéréotypes

Ces données générales masquent l'impact du choix des filières qui fait perdre aux filles leur avantage. En effet, les nouvelles bachelières le sont majoritairement des séries littéraires, dévalorisées. Au cours des 20 dernières années, seules 10 % des filles ont décroché un bac à dominante scientifique, contre 25 % des garçons.

La désaffection des filles pour les filières scientifiques se traduit par une exclusion des sphères sociales les plus prestigieuses et les plus rémunératrices. Les capacités intellectuelles des filles et leurs résultats en classe de 2nde ne sauraient expliquer cette orientation. En revanche, l'intériorisation des stéréotypes et l'investissement différent sur la carrière conduisent chez les filles à un phénomène d'autoélimination : leur choix est conditionné.

Ainsi, à diplôme égal, on constate les inégalités de salaire et d'évolution de carrière comme la ségrégation des emplois. Le capital scolaire se transforme donc moins facilement en capital social pour les filles que pour les garçons. Et ce d'autant que la qualification ne dédouane pas les femmes des tâches domestiques et parentales...

L'instauration de la mixité à l'école n'efface pas les inégalités : l'institution scolaire participe de l'apprentissage de l'identité garçon-fille et de la reproduction des discriminations.

Le XXe siècle a connu une explosion de la scolarisation des filles. Aujourd'hui, si elles réussissent mieux à l'école que les garçons, l'orientation différenciée ne mène pas à une égale réussite professionnelle.

Le mariage

Le mariage scelle publiquement une alliance entre un homme et une femme. Il a longtemps conféré un statut équivalent à celui de mineure aux épouses. Aujourd'hui, les femmes tendent à s'émanciper de la dépendance conjugale...

Les conquêtes des femmes mariées

Le Code civil napoléonien de 1804 consacrait l'incapacité juridique de la femme mariée, la confinant dans un statut de dépendance, de mineure. L'article 213 du Code civil en disait long : « Le mari doit protection à sa femme ; la femme doit obéissance à son mari » et est soumise au « devoir conjugal ».

L'émancipation en droit de l'épouse a été progressive. À partir de 1907, les femmes mariées peuvent disposer librement de leur salaire. En 1938, les régimes matrimoniaux sont réformés et l'incapacité juridique des femmes est supprimée. Depuis 1965, les femmes peuvent ouvrir un compte en banque ou exercer une profession sans l'autorisation de leur mari !

Le mariage s'inscrit traditionnellement dans un jeu matrimonial et marque l'union de deux familles. Aujourd'hui, il officialise plutôt une relation amoureuse de libre choix et se distingue de la procréation. L'obligation de virginité de la jeune épouse n'a globalement plus cours. En revanche, une grande continuité s'observe : l'homogamie* sociale des unions ainsi qu'une hiérarchie au sein du couple (la position sociale du mari est généralement supérieure à celle de sa femme).

Question d'âge

Les filles peuvent se marier dès l'âge de 15 ans, avec le consentement parental, alors que les garçons n'ont ce droit qu'à partir de 18 ans.

Le divorce

Le divorce a été institué en 1792 par la Convention. Aboli en 1816, il fut rétabli en 1884 par la loi dite Naquet, pour le seul motif de « faute ». Cette loi prévoyait que, en cas d'adultère, l'épouse coupable

corps et sexualités | éducation et familles | travail

était passible de la maison de correction alors que le mari ne risquait qu'une faible amende !

En 1975, le divorce est réformé. Le divorce par « consentement mutuel », par demande conjointe ou demande acceptée, est notamment institué. La rupture de la vie commune depuis au moins six ans peut également constituer un motif de divorce. En outre, l'adultère n'est plus considéré comme un délit. Depuis les années 1970, le nombre de divorces a explosé. En 1900, on ne comptait que 8 000 divorces par an : aujourd'hui, on en dénombre plus de 111 000 ! Dans les trois quarts des cas, c'est la femme qui est à l'initiative de la procédure, qui dure en moyenne 13 mois.

Le mariage en déclin ?

En dehors du mariage, les couples hétérosexuels optent aujourd'hui pour différentes formes d'union : concubinage, union libre ou PaCS. Le déclin du mariage est notamment lié à l'émancipation économique des femmes pour lesquelles cette union n'est plus indispensable. Après une période de chute très importante, les mariages ont légèrement augmenté depuis la fin des années 1990.

Les mariages forcés

Plusieurs dizaines de milliers de jeunes Françaises ou étrangères, majoritairement d'origine turque, malienne, sénégalaise et maghrébine, sont potentiellement concernées par ces pratiques. Le mariage est généralement arrangé par le père, souvent dès la naissance de la fille, afin de maintenir la jeune femme dans la tradition. En France, le mariage ne peut se faire qu'avec le « consentement certain » des deux époux. C'est pourquoi les mariages forcés ont généralement lieu dans le pays d'origine ou sont uniquement religieux. L'information, notamment à l'école et dans les PMI, est essentielle pour combattre ce grave phénomène.

Fatoumata

En juin 2000, Fatoumata, élève de terminale à Paris, a été emmenée par son père au Sénégal pour un mariage forcé.
La mobilisation de ses camarades et de l'Éducation nationale, largement relayée par les médias, a mis sur la scène publique un phénomène difficile à mesurer.

Les femmes sont sorties du statut d'infériorité que leur conférait le mariage. Une réforme a libéralisé le divorce, qui a explosé depuis les années 1970. Des mariages forcés sont toujours pratiqués en France.

La maternité

Au cours du XXe siècle, les mères ont obtenu des droits protégeant leur maternité et ont bénéficié de progrès scientifiques. Autant de conquêtes qui bouleversent la conception traditionnelle de la maternité...

Les droits des femmes enceintes

À partir de 1909, les femmes enceintes ont droit à un congé de maternité de 8 semaines. En 1945, il devient obligatoire et en partie indemnisé. Aujourd'hui, le congé de maternité est de 16 semaines (6 avant et 10 après l'accouchement), voire plus en cas de grossesse multiple ou suivant le nombre et l'âge des autres enfants à charge. Le Code du travail protège les femmes enceintes : candidates à un emploi, elles ne sont pas tenues de révéler leur grossesse ; employées, elles ne peuvent être licenciées.

Une déclaration de grossesse doit être effectuée dans les 14 premières semaines de la grossesse auprès de la caisse primaire de maladie, qui adresse à la femme enceinte, un mois après, le guide de surveillance médicale de la mère et du nourrisson. Les examens médicaux obligatoires liés à la grossesse et post-natals, ainsi que les frais d'accouchement sont pris en charge à 100 % par la Sécurité sociale. Les échographies ne font pas partie des examens obligatoires. Par ailleurs, à partir du sixième mois de grossesse et jusqu'à l'accouchement, toutes les dépenses de soins seront remboursées. Les femmes enceintes ont droit à huit séances de préparation à l'accouchement, couvertes à 100 %. En revanche, la péridurale* reste aux frais des femmes, sauf si elle est justifiée par « l'état pathologique de la future mère ». Faut-il y voir une forme modernisée du fameux précepte « Tu enfanteras dans la douleur » ?

Les femmes enceintes et les mères de famille ont acquis d'importants droits au cours du XXe siècle.

corps et sexualités | éducation et familles | travail

Moyenne

L'âge moyen de la maternité a considérablement augmenté au cours du xxe siècle. Il s'élève aujourd'hui à 29 ans. Le prolongement des études et les difficultés à conjuguer vie professionnelle et vie familiale expliquent en partie ce phénomène.

L'accouchement « sous X »

Le Code de la santé publique permet aux mères d'accoucher anonymement depuis 1974. C'est la loi de 1993 qui consacre l'accouchement sous X en l'introduisant dans le Code civil. Chaque année, environ 500 Françaises, âgées dans la moitié des cas de moins de 23 ans, donnent la vie dans le secret. La France est aujourd'hui le seul pays de l'Union européenne qui autorise l'accouchement anonyme.

En janvier 2002, le Parlement a adopté une loi portant création d'un Conseil national d'accès aux origines personnelles (CNAOP), fruit d'un dosage subtil entre la préservation du droit des femmes à l'accouchement sous X et la facilitation de l'accès à l'identité pour les enfants. Le CNAOP est chargé de recueillir et de centraliser à la naissance les informations nécessaires pour permettre aux enfants qui le souhaitent de reprendre contact avec leur mère, à la condition qu'elle ne s'y oppose pas.

Les naissances médicalement assistées

Entre 15 et 20 % des couples connaissent des difficultés pour avoir des enfants. Les troubles de l'ovulation sont à l'origine d'une part importante des stérilités féminines. Des traitements hormonaux permettent très souvent, dans ces cas, d'obtenir une grossesse. Mais les anomalies peuvent également être liées à une malformation de l'utérus ou une obstruction des trompes. Depuis la naissance en 1982 d'Amandine, premier bébé éprouvette né en France, les techniques de procréation médicalement assistée ont largement progressé. Leur taux de réussite varie entre 10 et 20 %.

Ces méthodes bouleversent les représentations traditionnelles, en participant au mouvement de dissociation entre sexualité et procréation.

Fête des Mères

Initiée aux États-Unis en 1914, la fête des Mères a été introduite en France en 1920 pour médailler les mères de plus de cinq enfants. Lors d'une manifestation en 1972, le MLF scandait : « *Fêtées une journée, exploitées toute l'année !* »

Les femmes enceintes ont conquis des droits sociaux au xxe siècle. L'accouchement sous X est permis en France. Les naissances médicalement assistées bouleversent les représentations traditiônnelles de la maternité.

La « parentalité »

La « parentalité » ne s'exerce pas de façon égalitaire. Le poids des rôles sociaux traditionnels pèse lourdement sur les comportements. Où sont les « nouveaux pères » annoncés dans les médias, depuis la sortie du film de Coline Serreau *Trois hommes et un couffin*, en 1985 ?

Les tâches parentales

Même s'il est difficile de faire précisément la part du temps dédié aux enfants, diverses enquêtes ont mis en évidence l'inégale répartition du temps parental : 26 heures en moyenne par semaine pour les mères, contre 13 heures pour les pères ! De plus, les femmes s'occupent des tâches les plus ingrates, les hommes se réservant plutôt les activités de détente.

La répartition entre les conjoints varie peu selon la catégorie socioprofessionnelle. En revanche, l'activité de la femme a un réel impact : si la mère n'a pas d'emploi ou travaille à temps partiel, sa contribution au temps parental est plus importante.

Cette inégalité ne s'explique pas seulement par les différences de contraintes professionnelles : les normes comportementales liées aux rapports sociaux entre les sexes déterminent, en grande partie, la façon de gérer son temps. Les femmes se rendent plus disponibles pour s'adapter aux rythmes de l'enfant.

Les familles monoparentales

L'instabilité conjugale s'est considérablement développée, conduisant à des séparations qui interviennent de plus en plus tôt. Un tiers des enfants de parents séparés vivent avec un beau-père ou une belle-mère. L'apparition des familles recomposées ne doit pas masquer l'une des grandes évolutions des 20 dernières années : l'explosion de la « monoparentalité », qui concerne aujourd'hui environ 16 % des familles.

En dates...

1960 : les mères célibataires peuvent disposer d'un livret de famille.
1970 : la notion de « chef de famille » est supprimée du Code civil.
1973 : la mère peut transmettre sa nationalité à son enfant.
1993 : la notion d'« exercice de l'autorité parentale conjointe » remplace celle de « garde » des enfants, qui ne pouvait incomber qu'à l'un des parents.
2002 : la mère peut transmettre son nom de famille.

corps et sexualités — éducation et familles — travail

Or les familles mono-parentales touchent à 86 % des femmes, soit plus de 700 000 mères seules. L'expression a été adoptée pour la première fois par l'INSEE en 1981, marquant la reconnaissance d'un type de famille non conforme au modèle traditionnel.

Le film de Coline Serreau, *Trois hommes et un couffin*, raconte les craintes et les désirs de trois «pères» face à un bébé.
La réalisatrice met en valeur des tâches réputées « féminines » et inscrit son film dans ce courant sociologique qui voit les hommes revendiquer leur droit à la paternité.

Les familles monoparentales sont particulièrement représentées dans les groupes à faibles revenus. Les mères seules sont plus souvent au chômage que celles vivant en couple et 17 % des foyers monoparentaux vivent au-dessous du seuil de pauvreté. En outre, la « pension alimentaire », appelée depuis 1993 « contribution à l'entretien et à l'éducation des enfants », ne seraient pas versée dans 30 % des cas et 10 % ne le serait que partiellement. Ainsi les femmes sont-elles souvent confrontées à l'absence d'aide des pères et peinent, plus que d'autres, à faire face au cumul des activités professionnelles et des obligations familiales. Depuis 1976, les familles monoparentales peuvent bénéficier de l'allocation parent isolé (API).

L'articulation des temps de vie

La question de la conciliation entre vie familiale et vie professionnelle est trop souvent renvoyée aux femmes. La solution en termes de mixité des pratiques professionnelles et familiales suppose de rééquilibrer la contribution des hommes et des femmes dans les sphères publique et privée.
L'Italie est le premier pays d'Europe, sous l'impulsion des mouvements féministes*, à avoir formalisé une politique des temps de vie. Cette expérience a récemment été mise en place dans différentes villes de France, notamment à Paris.

> Conformément aux modèles traditionnels, les femmes restent les premières à s'occuper des enfants : elles réalisent la majorité des tâches parentales et sont à la tête de 86 % des familles monoparentales.

Les politiques familiales (1)

Le modèle unique de la famille,
fondé sur un couple marié avec enfants,
a cédé progressivement la place
à des univers familiaux plus complexes
et diversifiés. L'encadrement de la famille
par l'État a évolué, passant d'une visée
nataliste à une volonté de neutralité
et de solidarité. De quelles aides
bénéficient aujourd'hui les familles ?

Du droit civil au droit social

Le Code civil de 1804 a consacré la cellule familiale, conçue comme un instrument du contrôle social. Les allocations familiales, instituées en 1932 pour tous les salariés et généralisées à l'ensemble des familles en 1940, s'inscrivaient au cœur d'une visée nataliste, l'aide étant modulée en fonction du nombre d'enfants.

Aujourd'hui, la politique familiale s'oriente plutôt vers la solidarité entre générations et la lutte contre les inégalités de revenus. Depuis la fin des années 1970, les prestations familiales tendent à être mises sous conditions de ressources. La « branche famille » devient un levier pour lutter contre la pauvreté, même si elle reste le parent pauvre de notre dispositif social. La France offre des prestations deux fois plus élevées que celles de la Grande-Bretagne et supérieures d'un tiers à celles de l'Allemagne.

La « branche famille »

L'excédent de la branche famille de la Sécurité sociale, constaté chaque année, sert à couvrir les déficits des branches maladie et vieillesse. Le montant des prestations familiales n'est pas régulièrement revalorisé selon l'évolution du coût de la vie.

Les allocations familiales

Elles sont perçues par les familles ayant au moins deux enfants à charge. Plus on a d'enfants, plus le montant des allocations est élevé, avec un bond significatif à partir du troisième enfant et une majoration en fonction de leur âge. Ces allocations ne sont soumises à aucune condition de ressources

corps et sexualités | éducation et familles | travail

et sont cumulables avec les autres aides. Le montant mensuel net, au 1ᵉʳ janvier 2002, est de 108 euros par mois, la majoration par enfant supplémentaire s'élevant à 139 euros.

L'arrivée d'un jeune enfant engendre des frais multiples pour les parents : réaménagement de la maison, frais vestimentaires, achat de matériels divers… C'est pourquoi les CAF attribuent l'allocation pour jeune enfant (APJE), dont le montant mensuel maximal est de 156 euros. Soumise à condition de ressources, l'APJE prend deux formes : l'une dite courte, versée du cinquième mois de grossesse au troisième mois de l'enfant ; l'autre dite longue, versée ensuite du quatrième mois de l'enfant jusqu'à ses 3 ans.

Également sous condition de ressources, le complément familial vient prendre le relais pour les familles qui ont au moins trois enfants à charge de plus de 3 ans.

Le quotient familial

Des dispositions fiscales permettent une certaine redistribution en faveur des ménages ayant des enfants. Instauré par la loi de décembre 1945, le mécanisme du quotient familial donne aux familles un avantage sous forme de gain d'impôts. Le revenu net imposable est divisé par le nombre de « parts » dont dispose un contribuable : une part pour chacun des parents, une demi-part pour chaque enfant jusqu'au deuxième et une part entière par enfant à partir du troisième. Ce système avantage les familles nombreuses. En dépit d'un plafonnement, le quotient familial est également plus favorable aux familles aisées qu'aux plus modestes : plus les revenus sont élevés, plus la famille obtient une réduction fiscale importante. Quant aux foyers qui ne paient pas l'impôt, ils sont évidemment exclus de cet avantage. C'est pourquoi ce système est régulièrement dénoncé, notamment par les mouvements féministes*.

Suède : l'avant-garde ?

Tous les parents suédois reçoivent le même montant d'allocations pour leurs enfants. Le principe : l'universalité. Les crèches ont été développées de manière spectaculaire et les pères bénéficient d'un congé parental attractif.

La visée nataliste cède progressivement le pas à une implication plus neutre de l'État. Les allocations familiales et des réductions fiscales, sous forme de « quotient familial », permettent d'aider les familles.

Les politiques familiales (2)

Aux prestations familiales et dispositions fiscales s'ajoutent des aides permettant la garde individuelle ou collective des enfants. Globalement, les pouvoirs publics semblent empiler les dispositifs plutôt que de remettre à plat leur politique familiale, pour prendre en charge les bouleversements liés à l'émancipation des femmes et aux visages diversifiés des familles.

L'allocation parentale d'éducation (APE)

Elle a été créée en 1985 pour les parents de trois enfants et plus. L'APE peut être versée à taux plein pour les personnes ayant totalement cessé leur activité professionnelle ou à taux partiel pour celles travaillant à temps partiel. Son montant s'élève, à taux plein, à 485 euros au 1er janvier 2002. L'APE est versée jusqu'au troisième anniversaire de l'enfant.

Dans la réalité, cette aide est sollicitée à 99 % par des femmes. L'APE encourage leur retrait du marché du travail. En juillet 1994, en pleine période de chômage croissant, le gouvernement a étendu cette allocation aux ménages de deux enfants. Ainsi, le taux d'activité des mères de deux enfants est passé de 74 % en mars 1994 à 56 % en mars 1998, alors que le taux d'activité des mères de un et trois enfants a continué de progresser sur la période.

Les aides aux modes de garde individuels

Créée en 1990, l'AFEAMA est une aide à la famille pour l'emploi d'une assistante maternelle agréée. Accordée jusqu'aux 6 ans de l'enfant, elle revêt deux formes : une exonération des charges patronales et

Univers féminin

Assistantes maternelles, nourrices, puéricultrices... Les personnes prenant en charge l'éducation et les soins apportés aux enfants sont presque toutes de sexe féminin. Ces emplois sont souvent précaires et mal rémunérés.

corps et sexualités | éducation et familles | travail

salariales et une allocation, dont le montant dépend de l'âge de l'enfant et des revenus du foyer. Le bénéfice de cette aide n'est subordonné ni à condition de ressources ni à l'activité des parents.

L'AGED, créée en 1986, est une allocation de garde d'enfant à domicile. Réservée aux parents salariés et qui font garder leur enfant de moins de 6 ans à domicile, son montant varie également suivant l'âge de l'enfant et les revenus du foyer.

L'accueil collectif : les crèches

Seuls 9 % des enfants de moins de 3 ans sont aujourd'hui accueillis dans une crèche collective ou familiale. Pourtant, la crèche est le mode de garde le plus plébiscité : 80 % des parents qui y recourent se déclarent satisfaits. La crèche présente des fonctions éducative et sociale très appréciables pour l'enfant. Les pédopsychiatres s'accordent sur ses effets bénéfiques sur le développement psychomoteur de l'enfant.

Pourtant, ce mode d'accueil collectif est peu soutenu par les politiques publiques. En 1998, 3,96 milliards d'euros ont été consacrés à l'APE, l'AFEAMA et l'AGED contre 0,3 milliard d'euros pour les crèches. Cette comparaison traduit la volonté politique de privilégier les modes de garde individuels.

Les crèches ne relèvent pas directement de l'État, qui n'apporte qu'un soutien par le biais des CAF, mais des collectivités locales, dont les budgets ne peuvent permettre un développement massif de ce type d'équipement. En 1983, la CNAF a mis en place les « contrats crèches » afin d'encourager les collectivités locales à développer le parc des crèches. En contrepartie, les CAF s'engagent à prendre en charge une partie du coût de fonctionnement. On constate de fortes inégalités géographiques dans la répartition des crèches sur notre territoire, les zones rurales étant les plus défavorisées.

Le congé de paternité

Les bébés nés depuis le 1er janvier 2002 donnent droit à 11 jours de congé à leur papa. Le père perçoit la même indemnisation que la mère en congé de maternité. Lors du premier trimestre 2002, 53 000 pères en ont bénéficié.

L'État favorise les modes de garde individuels, par le biais d'aides telles que l'APE, l'AFEAMA et l'AGED, au détriment de l'accueil collectif de la petite enfance (crèches).

Emploi, salaires, carrières

Aujourd'hui massivement actives,
les femmes connaissent de réelles
difficultés dans la sphère professionnelle.
Elles sont victimes de discriminations
à l'embauche et d'inégalités de salaires
et de carrières.

Les femmes et le travail salarié

Contrairement à une idée reçue, les femmes ont
toujours travaillé. Cependant, la répartition
ancestrale des rôles entre les sexes a conféré aux
femmes les tâches les moins socialement valorisées
et surtout celles de la sphère privée, non rémunérées.
Ce n'est que depuis 1965 que les femmes peuvent être
salariées sans l'autorisation de leur mari. Elles ont
massivement investi le monde du travail dans les
années 1970. Entre 1975 et 1998, la population active
féminine a augmenté de trois millions de personnes.
Le taux d'activité des femmes de 25 à 49 ans est passé
de 40 % dans les années 1960 à 80 % aujourd'hui. La
part des femmes dans la population active s'élève ainsi
à 46 %. Et 20 % des mères d'un ou de deux enfants
vivant en couple restent à la maison, contre 27 %
en 1990.
Cette évolution représente une étape considérable
de l'émancipation des femmes, marquant l'accès
à l'autonomie financière.

Les inégalités de salaires et de carrières

Le salaire des femmes est inférieur d'environ 26 %, en
moyenne, à celui des hommes. On compte deux fois
et demie plus de femmes au SMIC que d'hommes.
Environ 17 % des salariés masculins sont cadres,
contre 10 % des femmes.
Dans le secteur privé et semi-public, le salaire net
moyen des femmes travaillant à temps complet était

**« Délit de
maternité »**
La loi interdit
aux entreprises,
lors d'un entretien
d'embauche,
d'interroger une
postulante sur son
projet maternel
ou le mode de garde
de ses enfants.
Pourtant, selon
la revue *Rebonds*
(n° 82, mars 2000),
près d'un quart des
recruteurs avouent
poser ce type
de question !

corps et
sexualités

éducation et
familles

travail

égal, en 2000, à près de 82 % de celui perçu par les hommes. Pour les cadres, la différence de salaires, à temps complet, s'élève à 34 %. Cet écart n'est « que » de 11 % pour les employés et 22 % pour les ouvriers. Plus les salaires sont élevés, plus la différence est importante. En outre, les femmes ne représentent que 24 % de l'encadrement et seul un créateur d'entreprise sur trois est une femme.

Dans la fonction publique, les inégalités sont un peu moins fortes mais l'écart était malgré tout, en 1999, de 17 %. Comme dans le privé, c'est au sein des groupes de cadres que les écarts sont les plus marqués. Les femmes occupent 14 % des emplois de direction et d'inspection de la fonction publique et représentent 25 % des chercheurs. Dans les grands corps de l'État, elles constituent à peine 15 % des effectifs, alors que le taux de féminisation de la fonction publique est de… 55 % !

La France ne fait pas particulièrement bonne figure au regard de ses voisins européens. Les écarts de salaires entre les hommes et les femmes varient de 10 % à 32 %, selon les pays d'Europe. La Grèce (32 %), les Pays-Bas (29,5 %) et l'Autriche (26 %) arrivent en tête. La Suède (13 %) est le plus égalitaire.

Pourquoi ?

Ces inégalités ne s'expliquent pas par des différences de compétences ou une moindre formation. Elles proviennent de l'inégalité d'évolution des carrières et de la nature des postes occupés. L'interruption de carrière en raison de l'arrivée d'enfants et, plus généralement, les tâches parentales et domestiques constituent de véritables freins dans la promotion professionnelle. En outre, les femmes perçoivent moins de primes que les hommes.

Ces différents paramètres ne sont pas suffisants pour comprendre : on constate un résidu inexpliqué de 10 à 15 % d'écarts de salaires entre les hommes et les femmes.

Conditions de travail

Les femmes ont globalement de meilleures conditions de travail que les hommes. Ils sont 20,5 % à travailler la nuit, contre 7,5 % des femmes. Les tâches professionnelles masculines sont plus souvent dangereuses et nocives pour la santé.

Les femmes ont massivement investi le monde du travail salarié dans les années 1970. Elles sont aujourd'hui victimes de discriminations et d'inégalités, notamment de carrières et de salaires.

Chômage, précarité et temps partiels

La crise de l'emploi frappe davantage les femmes que les hommes. Pourtant, la dimension sexuée du chômage et de la précarité est largement passée sous silence. Le droit au travail pour les femmes serait-il remis en cause ?

« Sur-chômage »

Les femmes sont plus touchées par le chômage que les hommes, quels que soient la catégorie professionnelle, la qualification ou l'âge observés. En 2001, leur taux de chômage s'élevait à 10,9 %, contre 7,2 % pour les hommes. L'écart s'avère plus important encore pour les moins de 25 ans non scolarisé(e)s. Les premières victimes de ce « sur-chômage » sont les ouvrières et les employées. L'absence de formation ou la faiblesse des diplômes pèsent plus lourdement sur les femmes que sur les hommes. Le chômage féminin apparaît moins choquant que celui des hommes car il bénéficie d'une certaine tolérance sociale. Le salaire féminin serait-il souvent considéré comme un « appoint » et, en période de chômage, faudrait-il que les femmes retournent au foyer pour libérer des emplois ?

Souvent moins qualifiées que les hommes, les femmes se retrouvent plus facilement au chômage. Statistiquement, elles sont aussi moins bien rémunérées.

Précarité

Si les femmes sont plus concernées par le chômage, c'est notamment parce qu'elles occupent plus souvent des emplois précaires. Dans les années 1980 et 1990, les femmes ont été les premières touchées par le développe-

corps et sexualités | éducation et familles | travail

ment des « formes particulières d'emploi » : travail à domicile, temps partiel, intérim, CDD, emplois aidés... Aujourd'hui, plus de deux tiers des pertes d'emploi des femmes sont liés à des fins de CDD, contre à peine une sortie sur huit pour les hommes.

Plus généralement, les femmes connaissent un taux de licenciement supérieur à celui des hommes. Elles sont plus souvent amenées à changer d'emploi au cours de leur vie. En 1999, le taux de rotation des femmes salariées était de 45,7 %, contre 28,5 % pour les hommes.

Temps partiels

Le travail à temps partiel, qui a explosé au cours des 20 dernières années, constitue aujourd'hui la discrimination la plus emblématique sur le marché de l'emploi. En 2001, 3 235 000 femmes travaillaient à temps partiel, contre 660 000 hommes. Résultat : 83 % des personnes travaillant à temps partiel sont des femmes. Or travail à temps partiel signifie salaire partiel, chômage partiel et retraite partielle.

Le bastion des temps partiels se trouve dans le secteur tertiaire, et plus particulièrement la grande distribution, le nettoyage, l'aide à domicile, mais aussi la fonction publique. Il concerne essentiellement des emplois à faible qualification et peu rémunérés, caractérisés par la flexibilité des conditions de travail et l'absence de perspective d'évolution de carrière. Ainsi, les salariés à temps partiel forment l'essentiel du contingent des travailleurs pauvres. L'argument de la conciliation entre vie professionnelle et vie familiale sert de toile de fond à la valorisation des temps partiels pour les femmes. C'est pourquoi la majorité d'entre elles « choisissent » cette forme d'emploi.

Pour les nouvelles générations, le développement et la féminisation du travail à temps partiel creusent les écarts de revenus entre les sexes. Ainsi, les hommes ayant commencé à travailler entre 1991 et 1992 gagnent 21,9 % de plus que les femmes, alors que ce différentiel était de 18 % pour ceux ayant débuté entre 1976 et 1980.

Bénéfice secondaire

On ne compte que 17 % de femmes parmi les sans-abri. Quand elles sont dans la rue, c'est essentiellement en raison de conflits familiaux ou de violences conjugales.

Les femmes sont plus touchées que les hommes par le chômage, la précarité et la flexibilité. Les temps partiels sont aujourd'hui l'une des premières sources de discrimination sur le marché du travail.

Le travail domestique

Lessiver, repasser, nettoyer, faire les courses... autant de tâches qui restent l'apanage des femmes, en dépit de leur entrée massive dans le monde du travail salarié. Aujourd'hui, la majorité des femmes connaît la double journée de travail.

La division sexuelle du travail

La situation actuelle est un héritage direct de la répartition ancestrale des activités sociales entre les hommes et les femmes qui s'est traduite par la séparation (il y a des travaux d'hommes et des travaux de femmes) et la hiérarchie des tâches (un travail d'homme « vaut » plus qu'un travail de femme). Aux hommes, la sphère productive, avec des fonctions à forte valeur sociale ajoutée (politique, intellectuelle, religieuse…). Aux femmes, la sphère reproductive, avec les fonctions maternelles et domestiques ainsi que les soins aux ascendants.

Dans les années 1970, divers travaux de sociologues féministes, comme ceux de Christine Delphy, ont permis une prise de conscience de l'énorme masse de travail effectuée bénévolement par les femmes. Pourtant, ce travail domestique est invisible.

Une charge qui repose toujours sur les femmes

Projection

Le travail domestique représenterait, selon les méthodes de calcul, entre un tiers et deux tiers du PIB et l'équivalent d'environ 22 millions d'emplois à temps plein.

Depuis les années 1950, la mécanisation et la socialisation marchande d'un certain nombre de tâches ménagères ont fortement allégé la charge domestique. Cependant, ce travail reste considérable et repose très majoritairement sur les femmes.

Au sein des couples, elles y consacrent quotidiennement, en moyenne, quatre heures et vingt minutes, soit deux heures de plus que les hommes. La participation masculine est en très faible progression : entre 1986 et 1999, elle n'a augmenté que de onze minutes par jour !

corps et sexualités   éducation et familles   travail

La présence d'enfants, notamment en bas âge, accroît considérablement la charge de travail domestique qui incombe essentiellement aux femmes, creusant ainsi un peu plus l'écart entre les sexes. Le travail domestique d'une mère de famille nombreuse est l'équivalent d'un emploi à temps plein. Les mères qui restent actives effectuent une double journée de travail. C'est ainsi que les hommes passent, par exemple, une heure de plus par jour que les femmes devant la télévision, soit deux heures et vingt-deux minutes en moyenne !

Selon la DARES (Direction de l'animation de la recherche, des études et des statistiques du ministère de l'Emploi), 93 % des vaisselles, 86 % du repassage et 74 % de la cuisine sont effectués par les femmes. Elles font aussi la majorité des courses et sont les seules à se préoccuper de couture. Les hommes s'occupent du bricolage et de l'entretien de la voiture. Globalement, les femmes restent spécialisées dans les tâches les plus pénibles et les plus répétitives, les moins gratifiantes.

Plus une femme est autonome professionnellement et plus son niveau de formation est élevé, moins le partage du travail domestique est inégalitaire. Quand leur partenaire est titulaire d'un bac + 2, les hommes augmentent leur participation de 12 %.

Un tabou social

La question de l'inégale répartition du travail domestique est largement occultée dans le débat public. Elle est communément renvoyée au privé, comme s'il s'agissait d'une modalité de répartition propre à chaque couple, indépendante des déterminismes sociaux. Le travail domestique échappant aux circuits traditionnels de la production, il fait l'objet de très peu de travaux de chercheurs en général et d'économistes en particulier. En outre, les pouvoirs publics n'ont pas adapté leurs politiques aux transformations majeures que représentent, pour la sphère reproductive, la maîtrise de la fécondité et l'entrée massive des femmes sur le marché du travail.

Temps libre
D'après une enquête de l'INSEE de 1999, les hommes disposent par semaine, en moyenne, de quatre heures de temps libre de plus que les femmes.

L'accès en masse des femmes au monde du travail salarié ne les a pas dédouanées des tâches domestiques. Celles-ci sont, aujourd'hui encore, effectuées gratuitement par les femmes dans leur très grande majorité.

La non-mixité des emplois

**L'espace social du travail est devenu mixte.
Pour autant, les missions et les responsabilités
ne sont pas réparties à égalité...**

Concentration des emplois féminins

Les femmes sont employées dans un nombre restreint de catégories socioprofessionnelles, de métiers et de branches. Les emplois féminins se caractérisent ainsi par une très forte concentration dans quelques secteurs d'activité. Plus de 80 % des femmes qui travaillent le font dans le secteur tertiaire, alors qu'elles ne sont que 3 % à investir l'agriculture. En 1997, sur les 31 catégories socioprofessionnelles distinguées par l'INSEE, six regroupaient 61 % des femmes actives occupées. Ainsi les femmes sont-elles, de fait, plus limitées dans leurs choix professionnels que les hommes. De plus, elles sont moins présentes dans les secteurs les plus rémunérateurs.

Les professions les plus féminisées se trouvent au sein de l'enseignement primaire et aussi parmi les professions intermédiaires de la santé et du travail social, les employés administratifs d'entreprise, les employés du commerce et personnels de services directs aux particuliers.

Ségrégation verticale

Cette discrimination horizontale se double d'une ségrégation verticale, liée à l'évolution inégale des carrières féminines et masculines. Les femmes sont sous-représentées dans les postes les plus gradés. Elles représentent seulement 9 % des directeurs d'entreprise... mais 97 % des secrétaires ! Autre exemple, dans la fonction publique : près de 79 % des professeurs des écoles sont des femmes alors que, dans l'ensei-gnement supérieur, plus de trois enseignants sur quatre sont des hommes...

corps et sexualités | éducation et familles | travail

Les retraites au féminin

Le débat sur les retraites fait l'impasse sur la dimension sexuée.

Pourtant, des milliers de femmes âgées vivent aujourd'hui au-dessous du seuil de pauvreté.

Inégalité des retraites

Les pensions de retraite des femmes ne représentent, en moyenne, qu'entre 30 et 40 % du montant de celles des hommes. Cet écart est d'abord dû à la moindre longévité des carrières féminines, liée aux contraintes domestiques et familiales. Le système d'assurance vieillesse ne prend pas en compte tout le travail accompli dans ce cadre. Même en comparant les revenus moyens entre les femmes et les hommes qui ont effectué une carrière complète, l'écart des pensions est significatif : celles des femmes ne s'élèvent qu'aux deux tiers de celles des hommes. C'est la conséquence logique de l'inégalité des salaires et de l'évolution des carrières. L'explosion féminine du travail à temps partiel pèsera sur les retraites à venir, qui seront, elles aussi, partielles.

Pensions de réversion

La pension de réversion est une fraction, généralement la moitié, de la pension de droit direct du conjoint décédé. Elle n'est pas très avantageuse pour les femmes puisque la perte d'une partie des ressources représentées par la retraite du mari défunt n'est généralement pas compensée par la diminution des frais de consommation, la vie à deux revenant proportionnellement moins cher que la vie en célibataire.

Compléments de retraite

Depuis le 1er janvier 2003, il faut 160 trimestres de cotisation pour prétendre à la retraite à 60 ans. Les femmes salariées affiliées au régime général et mères de famille bénéficieront, en plus des trimestres de cotisations à l'assurance vieillesse, de 8 trimestres pour chaque enfant à charge. Résultat : avec 2 enfants, 16 trimestres viendront se déduire des 160 exigés.

Les femmes vivent plus longtemps

On dénombre environ six femmes pour quatre hommes de plus de 60 ans. Ce déséquilibre est la conséquence de la longévité moyenne supérieure des femmes. L'espérance de vie des femmes s'élève à 83 ans contre 75,5 ans pour les hommes.

La féminisation du monde du travail ne se traduit pas par une distribution équitable des emplois entre les sexes. Femmes et hommes ne sont pas égaux face à la retraite.

Quelles politiques publiques ?

L'égalité professionnelle entre hommes et femmes est favorisée par les cadres juridiques français et européen.
Pour autant, l'écart avec la réalité est notoire : impuissance des pouvoirs publics ou déficit de volonté politique ?

Le cadre français

La loi du 22 décembre 1972 a instauré dans le Code du travail le principe de l'égalité de rémunération entre les hommes et les femmes, pour les travaux de valeur égale. En 1983, la ministre des Droits des femmes, Yvette Roudy, a fait voter une loi favorisant l'égalité entre les sexes dans tous les domaines professionnels. Elle prévoit que les entreprises de plus de 50 salariés doivent réaliser chaque année un « bilan d'égalité ». Seules 43 % des entreprises le fournissent et, entre 1984 et 1999, seuls 34 « plans d'égalité », prévus pour corriger les inégalités, ont été signés !

Aussi le Premier ministre Lionel Jospin a-t-il commandé un rapport à la députée Catherine Génisson, remis en 1999 et intitulé *Davantage de mixité professionnelle pour plus d'égalité entre les hommes et les femmes.* Sur cette base, une révision de la loi dite Roudy a été votée en mai 2001. L'égalité hommes/femmes constitue désormais un thème obligatoire de la négociation, dans l'entreprise et par branche professionnelle. Le texte comporte des dispositions nouvelles favorisant une représentation équilibrée des femmes et des hommes au sein des conseils prud'homaux* et des institutions représentatives du personnel.

Ces lois peinent à se traduire dans la réalité. Les tâches domestiques et parentales pèsent sur les carrières féminines et les pouvoirs publics utilisent peu ou mal le levier des politiques familiales.

Cadre international

Plusieurs textes protègent les femmes, notamment la Convention n° 111 de l'OIT (1958) relative à la discrimination en matière d'emploi et de profession et la Convention des Nations unies (1979) sur l'élimination de toute forme de discrimination à l'égard des femmes.

corps et sexualités | éducation et familles | travail

Le cadre européen

Plusieurs directives garantissent l'emploi des femmes. L'égalité des rémunérations est prévue depuis 1975. Dans le milieu des années 1990, l'UE a promu l'égalité des chances entre les hommes et les femmes. En 1996, une communication de la Commission européenne propose d'intégrer cette dimension dans « l'ensemble des politiques et actions communautaires ». Les États membres sont invités à coordonner leurs politiques de l'emploi autour de quatre piliers communs d'action prioritaire, parmi lesquels l'égalité des chances entre les sexes. Une directive de 1997 consacre le renversement de la charge de la preuve, dès lors qu'existe une présomption de discrimination : en cas de plainte, ce sont aux employeurs de prouver que la différence de salaire est objectivement justifiée, et non plus aux salariés.

L'UE se préoccupe également de la sphère domestique : la résolution du Conseil de l'Europe du 29 juin 2000 consacre le principe d'un partage équilibré entre père et mère des activités familiales et professionnelles. Enfin, des actions innovantes peuvent être financées par l'Europe dans le cadre de programmes spécifiques tels que Emploi-Now ou Equal.

> **« PDGères » ?**
> Le Fonds de garantie à l'initiative des femmes (FGIF) favorise la création, la reprise ou le développement d'entreprises par les femmes. L'État se porte caution pour faciliter l'obtention d'emprunts auprès des banques.

Le travail de nuit

Le travail de nuit a été interdit pour les femmes en 1892. Une directive européenne du 9 février 1976 autorise le travail de nuit des femmes, au nom de l'égalité entre les sexes. Tardivement, en 2001, la France s'y est conformée. Le recours au travail de nuit doit cependant rester exceptionnel et prendre en compte les impératifs de sécurité et de santé des travailleuses et de protection des femmes enceintes. Ces dernières sont affectées de droit, à leur demande, sur un poste de jour.

> Les cadres juridiques français et européen favorisent l'égalité professionnelle qui, pourtant, peine à se traduire dans les faits. Le travail de nuit est désormais autorisé pour les femmes, à certaines conditions.

Le viol

Classé dans la rubrique « faits divers », le viol est souvent considéré comme un acte marginal, commis par un malade mental. Produit d'une histoire, il s'inscrit pourtant au cœur des rapports sociaux entre les sexes, mettant en scène de façon spectaculaire la domination masculine.

Mythes et réalités

La réalité des viols est très contrastée. Plus de la moitié d'entre eux sont commis par des personnes connues de la victime. Il n'existe pas de profil type de violeurs. Ils se recrutent dans toutes les catégories sociales. Les viols ont lieu de nuit comme de jour. Le recours à une arme ou à la violence physique n'est pas indispensable pour violer, le chantage affectif ou économique étant tout aussi efficace. Quant aux victimes, n'importe qui, quels que soient son âge, son appartenance sociale ou son apparence physique, peut être violé. Un handicap ou une situation de dépendance économique peuvent cependant être des facteurs à risque.

Le phénomène dit des « tournantes », en défrayant la chronique, a récemment mis en lumière la question des viols en réunion, qui ne sont pas une nouveauté. Il s'agit de « rites initiatiques » durant lesquels un groupe de jeunes garçons affirme sa virilité en violant une fille.

Conséquences pour les victimes

La première étape pour une victime est de mettre des mots sur ce qui s'est passé. Les femmes éprouvent de grandes difficultés à parler tant l'entourage et les intervenants, peu préparés et imprégnés d'idées reçues, ont du mal à entendre ou en sont incapables. Le viol présente la particularité de rendre suspecte la victime et engendre un fort sentiment de culpabilité chez elle. C'est pourquoi la reconnaissance

Définition

Le viol est ainsi défini par l'article 222.23 du nouveau Code pénal : « Tout acte de pénétration, de quelque nature qu'il soit, commis sur la personne d'autrui par violence, contrainte, menace ou surprise, est un viol. »

corps et sexualités | éducation et familles | travail

des faits, par les proches et par la société, représente une étape fondamentale dans le travail de reconstruction.

Si les conséquences sont variables d'une victime à l'autre, aucune femme ne sort indemne d'un tel traumatisme. Le viol provoque généralement une dévalorisation de soi, des blocages sexuels, des somatisations* multiples… Une attitude dépressive, voire suicidaire, est fréquente. La reconstruction est souvent longue et difficile.

La loi de 1980 et son application

Le viol, défini par la loi de 1980, est un crime. Jugé aux assises, le violeur est passible de 15 ans de réclusion criminelle et de 20 ans en cas de circonstances aggravantes (viol sur mineur de moins de 15 ans, sur personne vulnérable, avec usage d'une arme, viol collectif…). À la suite de diverses mises au point jurisprudentielles, les viols conjugaux et homosexuels, la sodomie, la fellation ainsi que l'introduction anale ou vaginale d'objets sont reconnus juridiquement comme des viols. Les autres agressions sexuelles, c'est-à-dire sans pénétration, sont des délits, jugés au tribunal correctionnel et passibles de cinq ans de prison et de 75 000 euros d'amende.

La justice a de grandes difficultés à arrêter et punir les violeurs. La crainte de ne pas être crue, l'expertise psychiatrique ou la difficulté à exprimer les faits conduisent la majorité des victimes à ne pas porter plainte. L'augmentation observée du nombre de plaintes ne signifie pas forcément l'accroissement du nombre de viols mais traduit d'abord la plus grande liberté de la parole des femmes.

À tout moment de la procédure, les victimes peuvent saisir la CIVI pour déclencher une indemnisation des préjudices subis.

> Perpétré majoritairement par des hommes contre des femmes ou des enfants, le viol constitue un crime. Il engendre de graves traumatismes pour les victimes. La justice peine à punir les violeurs.

Les violences conjugales

Les violences conjugales sont un processus au cours duquel, au sein d'une relation de couple, un partenaire adopte à l'encontre de l'autre des comportements agressifs et destructeurs. De moins en moins « taboues » depuis les années 1990, elles concernent près de deux millions de femmes en France.

Alerte médicale

L'article 44 du Code de déontologie médicale stipule : « Lorsqu'un médecin discerne qu'une personne [...] est victime de sévices ou de privations, il doit [...] alerter les autorités judiciaires, médicales ou administratives. »

Repères en capitale

À Paris, 60 % des interventions de Police-Secours concernent des violences conjugales et, chaque mois, six personnes meurent des suites de blessures infligées par leur conjoint.

Un processus d'emprise sur l'autre

Le développement des violences conjugales s'opère à travers des cycles alternant crises violentes et périodes dites de « lune de miel », durant lesquelles l'homme violent redevient « charmant » et promet de ne plus recommencer. Au fur et à mesure, un climat de terreur s'installe, la victime vivant dans l'angoisse d'une nouvelle agression. Les pressions psychologiques sont largement prépondérantes, c'est pourquoi le terme de « femme battue » rend mal compte de la réalité. Dénigrer sa partenaire, tenter de l'isoler de ses amis et de sa famille, menacer de s'en prendre aux enfants, contrôler ses sorties, refuser le dialogue : autant de moyens d'imposer un rapport de domination. Le recours aux violences physiques peut se traduire par des gifles, coups de poing, viols ou sévices en tout genre. C'est dans le cadre du huis clos conjugal que les femmes subissent le plus de violences physiques.

« Pourquoi les femmes restent-elles ? » se questionne-t-on souvent. Les préjugés selon lesquels les femmes attisent la colère de leur conjoint ou qu'« elles y trouvent bien leur compte » sont répandus. En réalité, diverses raisons les retiennent au foyer : espoir de changer de situation, dépendance économique, culpabilité, volonté de préserver l'unité familiale, peur des représailles, méconnaissance des droits...

Qui est concerné ?

L'ENVEFF a évalué l'ampleur du phénomène : une femme en couple sur 10 serait concernée. Tous les

corps et sexualités   éducation et familles   travail

milieux sociaux sont touchés et il n'existe pas de portrait type des femmes victimes. Cependant, les plus jeunes (de 20 à 24 ans) sont deux fois plus touchées que leurs aînées. Les violences conjugales sont plus fréquentes parmi les chômeuses ou les RMIstes ainsi que chez les femmes ayant subi des maltraitances dans l'enfance. L'instabilité professionnelle et plus encore l'alcoolisme du partenaire masculin sont des facteurs à risque.

La violence dans le couple n'est pas seulement physique. Elle peut aussi consister en de multiples pressions psychologiques.

De lourdes séquelles

Les conséquences physiques des violences conjugales sont importantes : douleurs abdominales ou thoraciques, troubles de la digestion, du sommeil, maux de tête et de dos, fatigue chronique, palpitations… Les problèmes de santé mentale sont récurrents : anxiété, phobies, dépression, alcoolisme, consommation excessive de psychotropes, tentatives de suicide… Les lésions physiques sont surtout des contusions et des hématomes. Mais les violences peuvent aller jusqu'à l'homicide : environ 400 femmes meurent chaque année sous les coups de leur conjoint.

Des violences punies par la loi

La reconnaissance de la gravité particulière des violences au sein du couple est récente. Le Code pénal prévoit une série d'infractions qui constituent, selon leur gravité, un délit ou un crime : entrave aux mesures d'assistance, administration de substances nuisibles, séquestration, viol… Depuis 1994, la qualité de conjoint ou de concubin de la victime constitue une circonstance aggravante des atteintes volontaires à l'intégrité physique et psychique de la personne.

> **Une femme en couple sur 10 est concernée par les violences conjugales qui se traduisent avant tout par un harcèlement psychologique destructeur. Ces violences sont spécifiquement punies par la loi.**

Le harcèlement sexuel

Héritage du « droit de cuissage »,
le harcèlement sexuel est une facette
des rapports de domination entre
les hommes et les femmes dans l'univers
professionnel.

Un phénomène protéiforme

Le harcèlement peut prendre différentes formes, avec une constante : les « harceleurs » sont des hommes, qui usent de leurs pouvoirs (supériorité hiérarchique, autorité, âge…), et les victimes, des femmes.

Le harcèlement sexuel est un phénomène discontinu qui s'inscrit dans la durée. Ses manifestations peuvent être verbales (invitations, questions intimes, propositions sexuelles, confidences sur la vie privée…) et/ou physiques (attouchements, baisers, violences physiques, agressions sexuelles, voire viol…). Le recours au chantage et à l'abus de confiance sont monnaie courante. Les hommes s'appuient sur la contrainte économique et la manipulation perverse. Le harcèlement est constitué par le glissement de la séduction à la violence.

Droit de cuissage

Prétendue coutume de la société féodale permettant au seigneur de coucher avec la femme de son vassal la nuit de la noce, le droit de cuissage désignait au XIXe siècle les violences sexuelles couramment subies par bonnes ou ouvrières de la part de leur patron.

Un arsenal juridique récent

La France est le deuxième pays d'Europe, après la Belgique, à se doter d'un arsenal juridique spécifique contre le harcèlement sexuel, avec la loi de 1992 qui a des implications dans le Code pénal et dans le Code du travail. Cette loi définit ainsi le harcèlement sexuel : « ordres, menaces ou contraintes dans le but d'obtenir des faveurs d'ordre sexuel ». Ce délit, qui ne peut être commis que par le supérieur hiérarchique, est passible d'un an de prison et de 15 245 euros d'amende. Le Code du travail protège la victime contre les mesures de représailles à la suite d'une plainte, notamment le licenciement.

corps et sexualités | éducation et familles | travail

Les mutilations sexuelles

Nombre de jeunes filles subissent, en France, des mutilations sexuelles constituant de véritables traumatismes, avec de graves conséquences sur leur sexualité.

Excision et infibulation

L'excision consiste à couper une partie plus ou moins importante du clitoris et des petites lèvres. Elle peut être aggravée par l'infibulation qui vise à supprimer la majeure partie des grandes lèvres et à coudre les deux parties de la vulve, de telle sorte qu'il ne reste plus qu'une minuscule ouverture pour l'écoulement de l'urine et des règles. Lors du mariage, l'orifice est élargi à l'aide d'un scalpel ou d'un rasoir. Les mutilations sexuelles engendrent souvent la frigidité définitive. Elles peuvent également conduire à des infections urinaires ou gynécologiques, des règles très douloureuses, des kystes, des abcès vulvaires, voire des cancers, une stérilité... L'accouchement est rendu difficile et peut même engendrer la mort du nouveau-né et de sa mère.

Tradition contre législation

Essentiellement pratiquée en Afrique et au Moyen-Orient, cette coutume n'est prescrite par aucune religion. Les mutilations sexuelles relèvent d'une antique tradition. L'objectif est de contrôler le comportement sexuel des femmes et s'inscrit donc au cœur des rapports sociaux entre les sexes. En France, la loi du 2 février 1981 (articles 222-9 du Code pénal) sanctionne les violences ayant entraîné une mutilation sur des mineures de moins de 15 ans. Elle protège tous les enfants résidant en France, quel que soit le pays d'origine de leurs parents.

Et les garçons ?

Selon certaines coutumes, le prépuce, morceau de peau qui entoure le gland du pénis, est enlevé aux garçons mais cela n'entame pas le plaisir sexuel. Cet acte est valorisé, en étant notamment suivi d'une fête.

> Le harcèlement sexuel et les mutilations sexuelles sont deux formes de violences faites aux femmes, sanctionnées par la loi.

La prostitution

Couramment désignée comme « le plus vieux métier du monde » et comme un « mal nécessaire », la prostitution est un phénomène complexe et protéiforme qui oppose abolitionnistes et réglementaristes.

Malgré les difficultés, il arrive que des prostituées se regroupent et demandent la reconnaissance de leurs droits (prostituées à Paris).

Manifs

À Lyon en 1975, pour la première fois en Europe, un mouvement de prostituées a manifesté. En 2002, des prostituées se sont de nouveau mobilisées pour la reconnaissance de leur travail et contre les pratiques discriminatoires de la police et du fisc.

Le phénomène « prostitutionnel »

Se prostituer signifie pratiquer contre rétribution un rapport sexuel. Le proxénétisme est le fait d'organiser ou de tirer profit de la prostitution d'autrui. Le phénomène « prostitutionnel » est difficile à quantifier : selon l'OCRTEH, il y aurait entre 15 000 et 18 000 prostituées en France. D'autres sources avancent le chiffre de 30 000. Près de la moitié seraient d'origine étrangère, venues principalement d'Afrique et des pays d'Europe de l'Est par le biais de trafics d'êtres humains. À la « prostitution traditionnelle », avec racolage* dans la rue, s'ajoutent de nouvelles formes de prostitution par le biais du Minitel, Internet ou encore des salons de massages. Les sociologues distinguent prostitution « professionnelle » et « occasionnelle ». Environ 95 % des prostituées professionnelles dépendraient de proxénètes. Le chiffre d'affaires annuel de la prostitution est estimé entre 1,5 et 3 milliards d'euros.

corps et sexualités   éducation et familles   travail

Les femmes : prostituées mais pas clientes

Environ les deux tiers des prostitués sont des femmes. Parmi le tiers d'hommes, on compte de plus en plus de transsexuels*. Le client, appelé par certains sociologues le « prostituant », est toujours un homme. Pourtant, le client est largement absent du débat public. Dans leur pratique quotidienne, les prostituées subissent de graves violences, pouvant aller de l'insulte au meurtre. Les conditions sanitaires d'exercice de leur activité sont généralement très préoccupantes, notamment face à l'épidémie du sida. Largement mal perçues par l'opinion publique, les prostituées subissent un traitement particulier : si elles paient des impôts sur le revenu (leur activité étant assimilée à une profession libérale), les prostituées ne bénéficient d'aucune couverture sociale. En outre, elles paient des amendes pour racolage.

Un cadre juridique débattu

En France, la prostitution est tolérée mais pas instituée : elle est libre dans la mesure où elle ne trouble pas l'ordre public. Officiellement, la prévention est une priorité, même si les moyens humains et financiers mobilisés sont dérisoires. Cette position française est dite abolitionniste, par opposition aux pays réglementaristes, comme les Pays-Bas, où la prostitution est considérée comme un métier, et aux pays prohibitionnistes, comme les États-Unis, où elle est interdite.

La Convention de l'ONU pour la répression de la traite des êtres humains de 1949 a été ratifiée par la France en 1960. En 1994, le nouveau Code pénal a accru la répression contre le proxénétisme. En 2002, le « volet prostitution » de la loi dite Sarkozy sur la sécurité intérieure a durci le dispositif pénal à l'encontre des prostituées. La notion vague de « racolage passif », en complément du « racolage actif » déjà puni, est introduite dans le Code pénal et une reconduite à la frontière des étrangères en situation de prostitution est désormais prévue par la loi. Ces dispositions ont suscité de vives critiques, notamment de la part de mouvements de prostituées et féministes*.

Les « maisons closes »

Ces lieux de prostitution sont interdits depuis 1946 (loi dite Marthe Richard, du nom de l'élue de la ville de Paris qui l'a défendue). Depuis, la question de leur réouverture a parfois été posée, pour des raisons sanitaires ou d'ordre public.

> La prostitution recouvre des réalités diverses et complexes. La France est abolitionniste. Récemment, la loi a été durcie à l'encontre des prostituées, qui ont manifesté leur vif mécontentement.

Femmes et citoyenneté

L'hégémonie masculine dans la vie publique est issue d'un lourd héritage historique. La France, pays des droits de l'homme, accuse un retard certain au regard de ses voisins occidentaux...

L'exclusion historique

La vie publique a traditionnellement été réservée aux hommes. L'exclusion des femmes du pouvoir de décision fut longtemps symbolisée par la loi salique*, en vigueur à partir de 420 après J.-C., qui réserve aux hommes le trône et la transmission de la terre.

Aux XVIIᵉ et XVIIIᵉ siècles, des femmes mais aussi quelques hommes revendiquent l'égalité politique entre les sexes. La Révolution française, à laquelle les femmes ont largement participé, fait naître des espoirs. En 1791, Olympe de Gouges (1748-1793) rend publique sa *Déclaration des droits de la femme et de la citoyenne*, dont l'article 1 est resté célèbre : « *La femme a le droit de monter à l'échafaud, elle doit avoir également le droit de monter à la tribune.* » La Convention, élevant les hommes au rang de citoyens, décide l'exclusion politique des femmes en 1792. Ainsi la Révolution française a-t-elle consacré l'universalisme masculin.

Au XIXᵉ siècle, la révolution de 1848 et la Commune sont des rendez-vous manqués. Des pionnières, comme Jeanne Deroin (1805-1894), posent alors des jalons. Le mouvement des suffragettes*, issu de milieux urbains, aisés et instruits, s'affirme au début du XXᵉ siècle.

L'accès au vote et à l'éligibilité

Au regard de la plupart des pays occidentaux, la France fut en retard pour reconnaître aux femmes les droits politiques, obtenus en 1917 en Russie,

Le 8 mars

En 1910, grâce à Clara Zetkin (1857-1933), l'Internationale des femmes socialistes adopte l'idée d'une journée de la Femme. La date du 8 mars est retenue par Lénine en 1921, en souvenir d'une grève d'ouvrières russes en 1917. L'ONU s'y rallie en 1977 et la France en 1982.

corps et sexualités

éducation et familles

travail

en 1918 en Allemagne et en Suède, en 1920 aux États-Unis, en 1931 en Espagne et au Portugal… Plusieurs propositions de loi sont déposées au Parlement dans l'entre-deux-guerres, en vain. Les premières femmes qui ont assumé une responsabilité politique officielle sont trois sous-secrétaires d'État nommées par Léon Blum, en 1936. Ce n'est qu'après la Seconde Guerre mondiale que les Françaises obtiennent le droit de vote et d'éligibilité, par l'ordonnance d'Alger prise par le général de Gaulle en avril 1944. Les femmes votent pour la première fois en 1945. Trente-trois femmes accèdent à l'Assemblée nationale qui compte alors 586 sièges.

Panthéon

Sur le fronton du Panthéon, on peut lire : « *Aux grands Hommes la Patrie reconnaissante* ». Et les femmes ? Elles ne sont que deux à y être présentes : Marie Curie (1867-1934) et Sophie Berthelot (1837-1907).

Participation syndicale et associative

Si les femmes ont peu investi les partis politiques, elles se sont progressivement engagées dans les syndicats et, plus encore, dans les associations.

La loi ne permet aux Françaises d'adhérer à un syndicat sans l'autorisation de leur mari que depuis 1920. Aujourd'hui, le taux de syndicalisation des femmes est d'environ 3,5 %, contre 11 % pour les hommes. Si elles représentent près d'un quart des syndiqués, les femmes sont sous-représentées aux postes de décision. Notons néanmoins que deux femmes ont été placées à la tête de mouvements syndicaux significatifs : Nicole Notat, pour la CFDT (Confédération française démocratique du travail) et Chantal Cumunel, pour la CGC (Confédération générale des cadres).

Les femmes représentent environ 40 % des personnes investies dans les associations. Un quart des hommes adhérant à une association y exercent des responsabilités, contre 19 % des femmes. Celles-ci investissent surtout les associations de parents d'élèves, humanitaires et confessionnelles ainsi que les clubs du troisième âge. On répertorie environ 300 associations à vocation féminine ou féministe*.

Au cours de la première moitié du XXᵉ siècle, les femmes acquièrent le droit de vote et d'éligibilité. Elles s'engagent progressivement dans les associations et les syndicats.

La parité

La France est le premier pays au monde à s'être doté d'une législation visant la parité politique entre les hommes et les femmes. Quel est l'impact d'une telle réforme ?

Genèse d'un concept

L'idée est née à la fin des années 1980, dans le milieu intellectuel, et prend forme en 1992, avec la sortie du livre de Françoise Gaspard, Anne Le Gall et Claude Servan-Schreiber : *Au pouvoir citoyennes ! Liberté, Égalité, Parité* (Seuil). Les auteures s'appuient sur un constat : 94 % des élus sont des hommes. La parité* fait ensuite l'objet de divers colloques, créations d'associations, pétitions... Le concept s'impose et devient populaire.

Pour autant, la parité ne fait pas l'unanimité. Au-delà du camp réactionnaire hostile à la parité, le duel oppose les universalistes, telles Élisabeth Badinter ou Évelyne Pisier, qui dénoncent la porte ouverte aux différentialismes, et les « pro-parité », comme Sylviane Agacinski qui estime que « *la dualité sexuelle est la seule différence au sein de l'humanité* » (*Le Monde*, 6 février 1999).

Les femmes dans nos assemblées (juin 2002)

Conseils généraux : *9,78 %*
Conseils régionaux : *25 %*
Sénat : *10,9 %*
Députés : *12,3 %*
(contre *17,5 %* en moyenne dans les Parlements nationaux de l'UE)
Députés européens français : *43,6 %*

Les réformes constitutionnelle et législative

L'Observatoire de la parité, créé en 1995 pour recenser les inégalités entre les sexes, remet au Premier ministre, en 1997, un rapport qui conclut sur la nécessité de réformer la Constitution pour instaurer la parité. Lors des élections législatives, le candidat Lionel Jospin défend la parité. Nommé Premier ministre, il engage les réformes.

Après de vifs débats sur la formulation du texte, le Congrès du Parlement adopte, le 28 juin 1999 à Versailles, une révision constitutionnelle : « La loi favorise l'égal accès des femmes et des hommes

corps et sexualités | éducation et familles | travail

aux mandats électoraux et aux fonctions électives »
et « les partis et groupements politiques contribuent
à la mise en œuvre de ce principe dans les conditions
déterminées par la loi ».

Le 6 juin 2000, la loi « relative à l'égal accès
des hommes et des femmes aux mandats électoraux
et fonctions électives » est adoptée. Pour les élections
au scrutin de liste, cette loi impose 50 % de candidats
de chacun des deux sexes, à une unité près.
Pour les sénatoriales et les européennes, l'alternance
homme/ femme ou femme/homme est obligatoire,
du début à la fin de la liste. Pour les élections
municipales (communes de plus de 3 500 habitants)
et régionales, la parité doit être respectée par tranche
de six candidats. Enfin, pour les législatives, la loi
prévoit de pénaliser financièrement les partis
et groupements politiques qui n'auront pas présenté
50 % de candidats de chacun des deux sexes
(à 2 % près).

Des résultats en demi-teinte

À l'issue du scrutin de mars 2001, la proportion
de conseillères municipales s'élève globalement
à 33 % (contre 21,7 % en 1995), et à 47,5 % si l'on
considère les communes de plus de 3 500 habitants.
Pour autant, le nombre de femmes maires ne s'élève
qu'à 10,9 %. En outre, la répartition des délégations
au sein des exécutifs municipaux est généralement
sexiste*. Aux femmes : le social, la petite enfance
ou les personnes âgées… Aux hommes,
les délégations les plus importantes et valorisantes :
finances, transports, urbanisme, logement…
Quant aux résultats des élections législatives de 2002,
ils ont été décevants : 71 femmes députées sur
577 sièges, soit neuf femmes de plus qu'avant !
À cette occasion, nombre de partis politiques ont vu
la part étatique du remboursement de leurs frais
de campagne amputée, jusqu'à quatre millions
d'euros en moins pour l'UMP !

Les « jupettes »

En 1995, le Premier
ministre Alain
Juppé nommait
12 femmes dans
son gouvernement.
Quelques mois plus
tard, à l'occasion
d'un remaniement
ministériel,
il remerciait
huit de ses
« jupettes »…

Apparue
il y a une dizaine
d'années,
la parité est
aujourd'hui
un concept
incontournable
et populaire.
Cependant,
la récente loi sur
la parité a montré
ses limites dans
un univers
profondément
machiste.

Images des femmes

La place des femmes dans les médias – journaux, télévision, publicité, manuels scolaires... – est fortement empreinte de sexisme. Même si les modèles féminins tendent à se diversifier, les stéréotypes perdurent.

Les femmes dans les médias

Dans la presse d'information générale, on compte environ une femme pour cinq hommes. À la télévision, la proportion est de l'ordre d'une femme pour trois hommes. Le « deuxième sexe » (selon l'expression de Simone de Beauvoir) représente à peine 17 % des personnes interviewées ou citées dans le cadre des informations. De manière générale, non seulement les femmes sont sous-représentées dans les médias, mais elles sont aussi nettement moins susceptibles d'y figurer comme des autorités, des experts ou des porte-parole. Les femmes politiques apparaissent par exemple beaucoup moins que leurs homologues masculins. En outre, les questions qui leur sont posées divergent : les journalistes s'intéressent au passé et à l'expérience politiques des hommes, mais à la situation familiale et à l'apparence des femmes.

L'arrivée massive de femmes dans les professions journalistiques n'a pas bouleversé la donne. En effet, leur place sur le plan décisionnel et créatif reste faible. En outre, des études ont montré que la proportion de femmes dans une équipe ne garantissait pas une représentation moins sexiste[*].

Persistance des modèles sexistes

Les médias véhiculent globalement des portraits féminins très stéréotypés : femme-objet, maternelle et passive. La publicité, véritable vecteur de masse, en est l'exemple le plus frappant. Le corps féminin sert de support de vente pour pots de yaourts et voitures, ce qui suscite couramment la contestation de différents

corps et sexualités | éducation et familles | travail

milieux, notamment féministes*. En 2001, le Bureau de la vérification de la publicité (BVP) a modifié sa recommandation sur l'image des femmes pour prévenir le sexisme mais l'organisme n'a vocation qu'à donner des conseils.

De nombreux autres médias sont significatifs de la coexistence d'images stéréotypées et de modèles moins conventionnels. Tout en restant un univers sexiste, la BD voit apparaître des personnages féminins plus actifs. Les manuels scolaires, qui participent de l'apprentissage des rôles traditionnels, évoluent lentement mais « la maman qui fait des gâteaux » et « le papa qui lit son journal » restent trop souvent d'actualité ! Enfin, les magazines féminins, très lus par les femmes, donnent à voir des images moins rigides de la féminité. Pour autant, ils continuent à mettre l'accent sur la beauté, la consommation et la psychologie familiale.

Yvette Roudy est à l'origine de progrès significatifs dans la direction de l'égalité professionnelle entre hommes et femmes.

Pour une loi antisexiste ?

Le déficit de visibilité des femmes dans les médias et les modèles stéréotypés de la féminité ont un réel impact dans la construction de l'identité. C'est pourquoi les mouvements féministes* les ont traditionnellement dénoncés.

Pour combattre les images les plus violentes à l'égard des femmes, Yvette Roudy, alors ministre des Droits des femmes, a déposé en 1983 un projet de loi relatif à la lutte contre les discriminations fondées sur le sexe. Certaines des dispositions de ce texte devaient s'appliquer à la presse, en prenant modèle sur la loi de 1972 relative à la lutte contre le racisme. Cette tentative fut un échec, suscitant des réactions virulentes et déclenchant la haine des publicitaires. L'idée n'a pas disparu pour autant et des pétitions circulent en faveur d'une telle réforme.

> Les femmes sont sous-représentées dans les médias. Même si des images diversifiées de la féminité apparaissent, la femme-objet reste omniprésente. Le projet d'une loi antisexiste a été rejeté en 1983.

La féminisation du langage

Grammaticalement, le masculin l'emporte sur le féminin : tout un symbole ? Le langage et ses évolutions en disent long sur les rapports sociaux entre les sexes...

Notre langue n'est pas neutre

La langue française n'utilise que deux genres pour les substantifs : le masculin et le féminin. Le neutre n'existe pas. Pour les animés (êtres humains et animaux), le genre fait référence au sexe, à quelques exceptions près. Pour les inanimés, le choix est arbitraire : une chaise, un bateau… En outre, certains noms de métiers, titres, grades et fonctions résistent à une féminisation grammaticalement possible (voir le mini-lexique).

L'invisibilité des femmes dans notre langue n'a pas toujours existé. Au Moyen Âge, du haut en bas de l'échelle sociale, les activités des femmes étaient traduites par des termes qui rendaient compte de leur genre*. Au cours du XVIIe siècle, la féminisation d'un grand nombre de noms de métiers disparaît. C'est à partir du grammairien Vaugelas (1585-1650) qu'en théorie le participe et le sujet ont été accordés avec le masculin, même lorsqu'il y a un masculin pour plusieurs féminins. *« La forme masculine a prépondérance sur le féminin parce que plus noble »*, justifie-t-il.

Quel féminin ?

Aujourd'hui encore, le féminin apparaît souvent comme péjoratif : par exemple, le politique est un concept plus noble que la politique. Certaines femmes refusent de féminiser le nom de leur métier par peur de se dévaloriser. Elles préfèrent être appelées « Madame le directeur », car « directrice » donne le sentiment d'une perte de prestige et de la valeur d'autorité. Si l'on peine à dire une « conseillère d'État », il est d'usage de parler d'une « conseillère conjugale ». De nombreuses expressions traduisent les rôles sociaux respectivement

corps et sexualités | éducation et familles | travail

attribués aux hommes et aux femmes. L'école « maternelle » est de ce point de vue symptomatique. Autre
exemple : s'il existe deux termes pour désigner l'enfant
de sexe masculin (un « fils » ou un « garçon »), pour
l'enfant de sexe féminin, il n'y a que le mot « fille »,
qui la désigne en relation avec sa famille et non en tant
qu'être autonome. Le féminin de garçon, « garce »,
est depuis le XVIᵉ siècle particulièrement négatif…

Vers la féminisation

Le 11 mars 1986, une circulaire signée par Laurent
Fabius, alors Premier ministre, préconise la féminisation
des noms de métiers, de grades et de fonctions.
Avec le gouvernement de Lionel Jospin, les femmes
décident de se faire appeler Madame « la » Ministre.
Cette initiative est soutenue par le président de la
République, Jacques Chirac, alors que l'Académie
française avait donné un avis négatif.
La langue pourrait s'adapter aux évolutions sociales :
il suffit d'être imaginatif et d'imposer les créations lexi-
cales correspondantes ! Mais la féminisation ne va pas de
soi car elle représente un enjeu politique : elle suscite de
réelles polémiques et fait l'objet d'oppositions farouches.

Noms de métiers : mini-lexique

Un docteur, une docteure
Un maçon, une maçonne
Un matelot, une matelote
Un sapeur-pompier, une sapeuse-pompière
Un proviseur, une proviseure

Une dame de compagnie, un homme de compagnie
Une sténo(dactylographe), un sténo(dactylographe)
Une cantatrice, un chanteur d'opéra
Une jardinière d'enfant, un jardinier d'enfant
Une sage-femme, un maïeuticien ou un sage-homme

Source : CNRS et INALF, *Femme, j'écris ton nom*,
La Documentation française, 1999.

Académie

La romancière
et essayiste
Marguerite
Yourcenar
(1903-1987)
est la première
femme à entrer
à l'Académie
française en 1980.
Aujourd'hui,
cette institution
ne compte que trois
femmes sur…
40 membres !

Les rapports
sociaux entre
les sexes et leur
évolution
se traduisent
symboliquement
dans notre
langue, qui n'est
pas neutre.

L'histoire des femmes en personnes

Mini-biographies de personnalités françaises qui ont œuvré en faveur de l'égalité entre les sexes.

CHRISTINE DE PISAN (1365-1430) est l'une des premières femmes de lettres à avoir vécu de sa plume. Cette écrivaine du Moyen Âge est également considérée comme la première féministe, au sens moderne du terme : la majeure partie de son œuvre, composée de près d'une vingtaine d'ouvrages, est dédiée à cette question. Après avoir largement critiqué la misogynie médiévale dans le *Roman de la rose*, elle affirme, dans *Le Livre de la Cité des dames*, l'égalité de nature entre les sexes.

MARIE DE GOURNAY (1566-1645), femme de lettres passionnée par le philosophe Montaigne (1533-1592), s'est engagée dans la querelle des sexes au début du XVIᵉ siècle, avec *L'Égalité des hommes et des femmes* et *Le Grief des dames*, qui suscitèrent l'indifférence ou la moquerie. Elle plaida notamment en faveur de l'accès des femmes à l'éducation.

Disciple de Descartes (1596-1650), le philosophe FRANÇOIS POULAIN DE LA BARRE (1647-1725) est un véritable précurseur : dans son traité paru en 1673, *De l'égalité des deux sexes*, il démontre qu'il faut combattre les préjugés qui conduisent à considérer les femmes comme des êtres inférieurs.

Mathématicien de formation, le philosophe des Lumières CONDORCET (1743-1794) fut l'une des rares voix de la Révolution française (1789) à défendre l'égalité des droits civiques entre les hommes et les femmes. Même si elle ne fut pas entendue, sa thèse *Sur l'admission des femmes au droit de cité* en 1790 ouvrit une brèche en pointant l'incohérence révolutionnaire qui prônait un universalisme excluant les femmes.

OLYMPE DE GOUGES (1748-1793), née Marie Gouze, était une autodidacte. Auteure d'une trentaine de pièces de théâtre et de plusieurs manifestes politiques, elle a notamment rédigé un roman autobiographique : *Mémoire de Mᵐᵉ de Valmont*. Olympe de Gouges est surtout restée célèbre pour sa fameuse *Déclaration des droits de la femme et de la citoyenne*, parue en 1791. Dans ce texte très radical, elle revendique toutes les libertés pour les femmes. Les révolutionnaires de la Terreur la guillotinèrent en 1793.

corps et sexualités | éducation et familles | travail

Théroigne de Méricourt (1762-1817), dite « la belle Liégeoise », fut une courtisane et artiste qui suscita le scandale. Elle participa avec passion à la Révolution française en prenant le parti des femmes. Elle mourut à l'asile de la Salpêtrière, à la suite d'une fessée administrée en place publique qui l'a rendue folle.

Ouvrière lingère et diplômée du brevet d'institutrice, Jeanne Deroin (1805-1894) fut l'une des plus ardentes féministes du XIXᵉ siècle. Membre de l'Union communiste, elle participa activement à la révolution de 1848. En avril 1849, Jeanne Deroin se présenta comme candidate aux élections législatives, ce qui fit la une des journaux et provoqua l'hilarité dans l'opinion publique. Elle dirigea le journal féministe *L'Opinion des femmes*.

Maria Deraisme (1828-1894), femme de lettres issue d'une famille bourgeoise, plaida la cause des femmes de toutes les classes sociales. Elle porta cette cause au sein de la franc-maçonnerie, au sein de laquelle elle fonda une loge mixte. Elle a également participé à la création de la Société pour l'amélioration du sort des femmes.

Hubertine Auclert (1848-1914), anticléricale et pacifiste, a contribué, par toutes sortes de moyens, à rendre publique la question du droit de vote des femmes. Fondatrice de l'hebdomadaire féministe *La Citoyenne*, elle fut l'une des grandes suffragettes.
« *Les hommes qui trouvent qu'il est inopportun de permettre aux femmes de sauvegarder leurs intérêts en exerçant leurs droits politiques ne sont pas eux-mêmes mûrs pour la liberté* », écrivait-elle dans *La Citoyenne* en mai 1885.

Marguerite Durand (1864-1936) fut d'abord comédienne avant de se lancer dans le journalisme et la politique. En 1897, elle lança *La Fronde*, journal féministe, premier quotidien entièrement rédigé et administré par des femmes. Elle organisa divers congrès et expositions sur les droits des femmes. En 1931, elle fit don de ses archives personnelles, très abondantes, sur les femmes à la Ville de Paris. Aussi la bibliothèque parisienne dédiée à la question des femmes porte-t-elle aujourd'hui son nom.

Autodidacte devenue médecin, Madeleine Pelletier (1874-1939) fut une grande militante en faveur de la libération sexuelle et du droit à l'avortement. Son parcours politique à gauche et à l'extrême gauche fut très mouvementé.
« *L'un et l'autre sexe ne pourront que gagner à ce que pour mériter le titre d'honnête femme il ne faille rien de plus que remplir les devoirs sociaux d'un honnête homme* », affirmait-elle dans *L'Émancipation sexuelle de la femme* en 1911.

L'histoire des femmes
en personnes (suite)

CÉCILE BRUNSCHVICG (1877-1946) est l'une des féministes les plus importantes de l'entre-deux-guerres. Membre du parti radical, antifasciste, elle fut l'une des trois sous-secrétaires d'État nommées par Léon Blum lors du Front populaire (1936), chargée de l'Éducation nationale.

Simone de Beauvoir photographiée par Brassaï en décembre 1945.

Normalienne et agrégée de philosophie, SIMONE DE BEAUVOIR (1908-1986) fut une écrivaine engagée, très proche de Jean-Paul Sartre (1905-1980). Avec *Le Deuxième Sexe*, paru en 1949, qui suscita des critiques très virulentes dans le monde intellectuel et journalistique, elle a considérablement marqué l'histoire des femmes et du féminisme, en France mais aussi à l'étranger. « *On ne naît pas femme, on le devient* »: sa formule, mettant l'accent sur la culture et non la nature dans la construction de l'identité féminine, est restée célèbre. Dans les années 1970, avec le MLF, Simone de Beauvoir inscrivit sa démarche dans un cadre collectif. Elle fut également très engagée contre la guerre d'Algérie. Simone de Beauvoir a laissé une œuvre (essais, autobiographies, romans, pièces de théâtre) très importante.

L'avocate GISÈLE HALIMI, née en 1927 en Tunisie, est cofondatrice de l'association *Choisir*, créée en 1971 pour défendre la libre disposition de son corps. Ses plaidoiries célèbres, notamment le procès de Bobigny en faveur de l'avortement et celui d'Aix contre des violeurs, ont permis de faire avancer la cause des femmes. Elle fut également députée de l'Isère de 1981 à 1984.

corps et sexualités

éducation et familles

travail

Chronologie : l'émancipation des femmes au XXᵉ siècle

1880
La loi dite Camille Sée ouvre l'enseignement secondaire aux filles.

1909
Un congé de maternité de huit semaines, non rémunéré, est instauré.

1920
Le Parlement vote des lois réprimant la complicité et la provocation à l'avortement et toute propagande « anticonceptionnelle ».
Les femmes peuvent adhérer à un syndicat sans l'autorisation de leur mari.

1938
Une loi met fin à l'incapacité civile des femmes.

1944
Le droit de vote est accordé aux femmes.

1945
Les femmes votent pour la première fois.
Le congé de maternité devient obligatoire et indemnisé.

1946
Le principe d'égalité entre les hommes et les femmes est inscrit dans la Constitution.
Les maisons closes sont interdites.

1949
Simone de Beauvoir publie l'essai *Le Deuxième Sexe*, qui fait scandale.

1960
La France ratifie la Convention de l'ONU de 1949 visant à réprimer la prostitution et la traite des êtres humains.

1965
Les femmes peuvent exercer une profession sans l'autorisation de leur mari.

1967
La loi dite Neuwirth libéralise la contraception.

1970
Le MLF, mouvement informel militant contre l'oppression des femmes qui s'impose tout au long de la décennie marquant l'apogée du féminisme au XXᵉ siècle, naît symboliquement à l'occasion d'une manifestation à l'Arc de triomphe en août à la mémoire de la « femme du soldat inconnu ».

1971
Le « Manifeste des 343 » pour la libéralisation de l'avortement paraît dans la revue *Le Nouvel Observateur*.

1972
Le principe d'égalité de rémunération est inscrit dans le Code du travail.

1974
Un secrétariat d'État à la Condition féminine est créé et confié à l'écrivaine Françoise Giroud.

1975
L'ONU célèbre l'année internationale de la Femme.
La loi dite Veil libéralise l'avortement.
Le divorce est réformé, permettant notamment le divorce par consentement mutuel.
Ainsi soit-elle, essai de Benoîte Groult, est un succès.

Chronologie : l'émancipation des femmes au XXᵉ siècle (suite)

1976

Les films « pornographiques ou d'incitation à la violence » doivent porter le label X et voient leur diffusion limitée à un certain nombre de salles.

1977

Le rapport Hite, résultat d'une enquête menée auprès des Américaines par la sexologue Shire Hite, révèle la sexualité des femmes, leur pratique de la masturbation et leur approche de la jouissance.

1980

Une loi définit le crime de viol.

1981

Un ministère des Droits des femmes est créé et confié à Yvette Roudy.

1982

La France célèbre officiellement, pour la première fois le 8 mars, la « journée de la Femme ».

La loi prévoit le remboursement de l'IVG.

L'homosexualité est dépénalisée.

Amandine, premier bébé éprouvette français, naît.

1983

La loi dite Roudy favorise l'égalité professionnelle entre hommes et femmes.

1986

Une circulaire préconise la féminisation des noms de métiers, de grades et de fonctions.

1992

Le harcèlement sexuel par un supérieur hiérarchique est réprimé.

1993

La loi dite Neiertz crée le délit d'entrave à l'IVG.

L'accouchement sous X est consacré.

1994

Le nouveau Code pénal reconnaît de façon spécifique les violences commises par le conjoint de la victime. Le nouveau Code pénal accroît la répression à l'encontre du proxénétisme.

1995

Une grande manifestation est organisée « contre le retour de l'ordre moral » et pour le droit à l'avortement.

1996

Le « Manifeste des dix pour la parité » paraît dans la revue *L'Express.*

1999

La Constitution est révisée : « La loi favorise l'égal accès des femmes et des hommes aux mandats électoraux et aux fonctions électives. »

La loi portant création du PaCS est votée.

2000

Une loi favorise la parité en politique.

2001

La loi dite Veil est réformée : le délai d'IVG passe de 10 à 12 semaines de grossesse.

La loi dite Roudy-Génisson renforce les dispositions en faveur de l'égalité

corps et sexualités | éducation et familles | travail

professionnelle entre les hommes et les femmes.

Le travail de nuit des femmes est légalisé, conformément à une directive européenne.

2002

Le volet « prostitution » de la loi dite Sarkozy sur la sécurité intérieure durcit le dispositif pénal à l'encontre des prostituées.

Sigles

AFEAMA : aide à la famille pour l'emploi d'une assistante maternelle

AGED : allocation de garde d'enfant à domicile

APE : allocation parentale d'éducation

API : allocation parent isolé

APJE : allocation pour jeune enfant

BVP : Bureau de la vérification de la publicité

CAF : caisse d'allocations familiales

CDD : contrat à durée déterminée

CIVI : Commission d'indemnisation des victimes d'infractions

CNAF : Caisse nationale d'allocations familiales

ENVEFF : Enquête nationale sur les violences envers les femmes en France (menée entre mars et juillet 2000)

INED : Institut national d'études statistiques

INSEE : Institut national de la statistique et des études économiques

IVG : interruption volontaire de grossesse

MLF : Mouvement de libération des femmes

MST : maladie sexuellement transmissible

OCRTEH : Office central de répression de la traite des êtres humains

OIT : Organisation internationale du travail

OMS : Organisation mondiale de la santé

ONU : Organisation des nations unies

PaCS : Pacte civil de solidarité

PIB : produit intérieur brut

PMI : Protection maternelle et infantile

RMI : revenu minimum d'insertion

RPR : Rassemblement pour la République

SMIC : salaire minimum de croissance

THS : traitement hormonal substitutif

UE : Union européenne

UMP : Union pour la majorité présidentielle

VIH : virus de l'immunodéficience humaine

Glossaire

Aménorrhée : absence de règles.

Coming out : expression anglo-saxonne qui signifie littéralement « sortir du placard » et utilisée en France pour révéler à son entourage son homosexualité.

Conseils prud'homaux : juridictions électives et paritaires qui règlent par voie de conciliation les différends d'ordre individuel qui peuvent s'élever à l'occasion de tout contrat de travail. En France, 7 323 conseillers salariés et autant de conseillers employeurs siègent dans 271 conseils prud'homaux.

Endomètre : muqueuse qui tapisse la cavité de l'utérus.

Féminisme : théories et pratiques qui visent à l'émancipation des femmes, en droit comme en fait. L'adjectif « féministe » a été employé pour la première fois sous la plume d'Alexandre Dumas fils, en 1872, dans un pamphlet antiféministe intitulé *L'Homme-Femme*. Emprunté au vocable médical, il désignait alors une féminisation pathologique, c'est-à-dire un défaut de virilité chez un sujet masculin. La première femme à s'autoproclamer féministe est Hubertine Auclert. Le langage s'empare ensuite du mot pour caractériser les femmes qui, revendiquant l'égalité avec les hommes, semblent vouloir leur ressembler.

Depuis, la définition du mot évolue, faisant sans cesse l'objet de débats.

Frottis cervico-vaginal : prélèvement des muqueuses du col de l'utérus et du vagin.

Genre : expression issue du vocabulaire anglo-saxon, utilisée dans le cadre des recherches féministes *gender studies*, signifiant le « sexe social ». Ce terme permet de mettre l'accent sur les dimensions sociale, politique et culturelle de l'appartenance à une identité sexuée.

Homogamie : mariage entre personnes d'un même groupe social.

Lesbianisme (de Lesbos, l'île où vécut la poétesse Sappho) : homosexualité féminine.

Lesbophobie : toute manifestation de discrimination, de violence ou d'exclusion à l'encontre de lesbiennes.

Loi salique : recueil de coutumes des Francs saliens, dont la première version fut rédigée au début du Ve siècle. Elle est notamment connue pour avoir réservé aux hommes le droit de succession à la terre et pour interdire aux femmes la succession au trône.

Néomalthusien : mouvement développé au tournant des XIXe et XXe siècles en faveur des pratiques anticonceptionnelles, inspiré de la doctrine de l'économiste Malthus (1766-1834) qui préconisait la limitation des naissances pour remédier au danger de la surpopulation.

corps et sexualités | éducation et familles | travail

Obstétrique (du latin *obstetrix* qui signifie sage-femme) : la branche de la gynécologie ayant pour objet le déroulement de la grossesse et de l'accouchement.

Ostéoporose : raréfaction pathologique du tissu osseux.

Parité : répartition en nombre égal entre deux groupes.

Patriarcat : forme de l'organisation d'une société qui repose sur le pouvoir du père. Selon la sociologue féministe Christine Delphy, le patriarcat est le système social et politique qui organise l'oppression des femmes.

Péridurale : injection à l'intérieur de la colonne vertébrale d'une substance anesthésiante visant à diminuer les douleurs liées aux contractions utérines lors de l'accouchement.

Planning familial : planification des naissances choisie par le couple.

Racolage : accoster, solliciter des passants, en parlant de quelqu'un qui se livre à la prostitution.

Sexisme : toute forme de discrimination fondée sur le sexe.

Somatisation : fait de rendre physique un trouble psychique (angoisse qui se transforme en maladie).

Suffragette : militante qui revendique le droit de vote des femmes. Les suffragettes se sont imposées à la fin du XIXᵉ et au début du XXᵉ siècle.

Transsexuel : personne qui se revendique de l'autre sexe.

Bibliographie

Ouvrages généraux

AUTAIN (Clémentine), *Alter égaux : invitation au féminisme*, Robert Laffont, 2001.
BIHR (Alain), PFEFFERKORN (Roland), *Hommes, femmes, quelle égalité ?*, L'Atelier, 2002.
COLLIN (Françoise), *Le Différend des sexes*, Pleins feux, 1999.
DELPHY (Christine), *L'Ennemi principal*, tome 1 : *L'Économie politique du patriarcat*, Syllepse, 1998 ; tome 2 : *Penser le genre*, Syllepse, 2001.
EPHESIA (coll.), *La Place des femmes : les enjeux de l'identité et de l'égalité au regard des sciences sociales*, La Découverte, 1995.
FRAISSE (Geneviève), *La Différence des sexes*, PUF, 1996.
NAHOUM-GRAPPE (Véronique), *Le Féminin*, Hachette, 1996.

Bibliographie (suite)

Histoire des femmes

ALBISTUR (Maïté), ARMOGATHE (Daniel), *Le Grief des femmes. Anthologie de textes féministes*, Hier et Demain, 2 tomes, 1978.
BARD (Christine), *Les Femmes dans la société française au XXe siècle*, A. Colin, 2001.
Les Filles de Marianne : histoire des féminismes, 1914-1940, Fayard, 1995.
CHAPERON (Sylvie), *Les Années Beauvoir, 1945-1970*, Fayard, 2000.
MONTREYNAUD (Florence), *Le XXe siècle des femmes*, Nathan, 1999.
PERROT (Michèle), DUBY (Georges), *Histoire des femmes en Occident*, cinq tomes, Plon, 1991.
PICQ (Françoise), *Libération des femmes : les années mouvement*, Seuil, 1993.
RIOT-SARCEY (Michèle), *Histoire du féminisme*, La Découverte, 2002.
VALICI-BOSIO (Sabine), ZANCARINI-FOURNEL (Michelle), *Femmes et fières de l'être*, Larousse, 2001.

Corps des femmes, sexualités et violences

BONNET (Marie-Jo), *Les Relations amoureuses entre les femmes du XVIe au XXe siècle*, Odile Jacob, 2001.
CROMER (Sylvie), *Le Harcèlement sexuel en France – La Levée d'un tabou (1985-1990)*, La Documentation française, 1995.
GAUTHIER (Xavière), *Naissance d'une liberté : avortement, contraception, le grand combat des femmes au XXe siècle*, Robert Laffont, 2001.
MOSSUZ-LAVAU (Janine), *Les Lois de l'amour : les politiques de la sexualité en France (1950-2002)*, Payot, 2002.
VENNER (Fiammetta), *L'Opposition à l'avortement : du lobby au commando*, Berg International, 1995.

Éducation, travail domestique et emploi

BATTAGLIOLA (Françoise), *Histoire du travail des femmes*, La Découverte, 2000.
BAUDELOT (Christian), ESTABLET (Roger), *Allez les filles !*, Seuil, 1992.
FAGNANI (Jeanne), *Un travail et des enfants*, Bayard Éditions, 2000.
FORTINO (Sabine), *La Mixité au travail*, La Dispute, 2000.
GIAMPINO (Sylviane), *Les mères qui travaillent sont-elles coupables ?*, Albin Michel, 2000.

corps et sexualités | éducation et familles | travail

KAUFMANN (Jean-Claude), *La Trame conjugale : analyse du couple par son linge*, Nathan, 2000.
MARUANI (Margaret), *Les Nouvelles Frontières de l'inégalité : hommes et femmes sur le marché du travail*, La Découverte, 1998.
La Flexibilité à temps partiel, La Documentation française, 1989.
MÉDA (Dominique), *Le Temps des femmes : pour un nouveau partage des rôles*, Flammarion, 2001.

Citoyenneté et vie publique

BARRÉ (Virginie), DEBRAS (Sylvie), HENRY (Natacha), TRANCART (Monique), *Dites-le avec des femmes*, CFD/AFJ, 1999.
FABRE (Clarisse), *Les Femmes et la politique : du droit de vote à la parité*, Librio, 2001 [Recueil d'articles du journal *Le Monde*].
FAURÉ (Christine) (dir.), *Encyclopédie politique et historique des femmes*, PUF, 1998.
HELFT-MALZ (Véronique), LÉVY (Paule-Henriette), *Les Femmes et la vie politique française*, coll. « Que sais-je ? », PUF, 2000.
SINEAU (Mariette*), Profession femme politique : sexe et pouvoir sous la V*e* République*, Presses de Sciences-Politiques, 2001.

Revues

Lunes – Réalités, parcours, représentations de femmes. Revue trimestrielle d'information consacrée aux femmes, éditée par la SARL Lunes.
Clio – Histoire, femmes et sociétés. Deux numéros thématiques par an sur l'histoire des femmes, éditée aux Presses universitaires du Mirail.
La Revue du Mage – Travail, genre et sociétés. Revue semestrielle éditée par L'Harmattan.

Adresses utiles

Centre national d'information et de documentation des femmes et des familles (CNIDFF)
7, rue du Jura, 75013 Paris
Tél. : 01 43 31 12 00 (à contacter pour obtenir les coordonnées des CIDF départementaux)

Service des droits des femmes et de l'égalité
10-16, rue Brancion, 75015 Paris
Tél. : 01 40 56 60 00

Adresses utiles (suite)

Observatoire de la parité entre
les hommes et les femmes
13, rue de Bourgogne, 75007 Paris
Tél. : 01 42 75 86 91
www.observatoire-parite.gouv.fr
Commission européenne
DG Emploi et Affaires sociales
Unité Égalité des chances (D/5)
37, rue Joseph II, 1000 Bruxelles
(Belgique)
Tél. : +32 2 299 51 83
Bibliothèque Marguerite-Durand
(consacrée aux conditions de vie
et à l'histoire des femmes)
79, rue Nationale, 75013 Paris
Tél. : 01 45 70 80 30
Viols femmes informations
Tél. : 0800 059 595 (appel gratuit)
Violences conjugales - Femmes
info service Tél. : 01 40 33 80 60

Associations en faveur des droits des femmes

Les Amis du Bus des femmes
6, rue du Moulin-Joly, 75011 Paris
Tél. : 01 43 14 98 98
L'Assemblée des femmes
50, rue des Entrepreneurs, 75015 Paris
Tél. : 01 45 77 37 93
Association des femmes
journalistes (AFJ)
Maison de l'Europe
35, rue des Francs-Bourgeois,
75004 Paris
Tél. : 01 42 97 47 91

Association contre les violences
faites aux femmes au travail
(AVFT)
BP 108, 75561 Paris Cedex 12
Tél. : 01 45 84 24 24
Association française des femmes
diplômées d'université
4, rue de Chevreuse, 75006 Paris
Tél. : 01 43 20 01 32
Centre gay et lesbien
3, rue Keller, 75011 Paris
Tél. : 01 43 57 21 47
(accueil, prévention, écoute)
www.cglparis.org
Les Chiennes de garde
35, rue des Francs-Bourgeois,
75004 Paris
www.chiennesdegarde.org
Coordination des associations
pour le droit à l'avortement
et à la contraception (CADAC)
et Collectif national pour
les droits des femmes (CNDF)
21ter, rue Voltaire, 75011 Paris
Tél. : 01 43 56 36 48 (ou 44)
Du côté des filles
33, villa Wagram, 75008 Paris
www.ducotedesfilles.org
Femmes solidaires
25, rue du Charolais, 75012 Paris
Tél. : 01 40 01 90 90
Groupe femmes pour l'abolition
des mutilations sexuelles (GAMS)
66, rue des Grands-Champs,
75020 Paris
Tél. : 01 43 48 10 87

corps et
sexualités

éducation et
familles

travail

La Meute
la MDF, 163, rue de Charenton,
75012 Paris
www.lameute.org

Mouvement français pour
le planning familial (MFPF)
4, square Saint-Irénée, 75011 Paris
Tél. : 01 48 07 29 10
(à contacter pour obtenir
les coordonnées des associations
départementales de planning
familial)

Mix-Cité, Mouvement mixte
pour l'égalité des sexes
224, boulevard Voltaire,
75011 Paris
Tél. : 01 44 64 09 24
www.mix-cite.org

Les Nanas beurs
70, rue Casteja, 92100 Boulogne-
Billancourt
Tél. : 01 46 21 07 29

Prochoix
177, avenue Ledru-Rollin,
75011 Paris
Tél. : 01 43 73 35 25

Réseau femmes ruptures
38, rue de Polonceau, 75018 Paris
Tél. : 01 55 60 91 88

Sur le Web

www.penelope.com (site militant
et documenté, en anglais)
www.annuaire-au-feminin.tm.fr
(une agence européenne
d'information)

Index Le numéro de renvoi
correspond à la double page.

accouchement 18, 41
carrière 14, 26, 28, 32, 34, 33
Code de la santé publique 4, 18
Code du travail 18, 34, 40
Code pénal 4, 12, 36, 38, 40, 41, 42
corps 48
délit 4, 12, 16, 26, 36, 38, 40
différence 20, 26, 34, 46
discrimination 12, 14, 26, 28, 32,
34, 48
domination 12, 36, 38, 40
droit 4, 8, 10, 12, 16, 18, 22, 24, 34,
38, 40, 42, 44, 48
égalité/inégalité 14, 20, 22, 24, 26,
32, 33, 34, 44, 46, 48
féministe (mouvement) 20, 22, 42, 48

loi 4, 12, 16, 18, 22, 26, 34, 36, 38,
40, 42, 44, 46, 48, 50
manifestation 4, 8, 12, 18, 42
mère 10, 14, 18, 20, 24, 26, 30, 32,
34, 41
mineur (e) 4, 6, 8, 12, 16, 36
MLF 4, 18
PaCS 12, 16
pilule 6, 8
privé 8, 20, 26, 30, 40
Sécurité sociale 4, 6, 8, 10, 18, 22
ségrégation 14, 32
sexisme, sexiste 14, 46, 48
sexualité 4, 6, 12, 18, 41
stéréotype 14, 48
tâche domestique 14, 26, 30, 34
victime 26, 28, 36, 38, 40, 42
violence 28, 36, 38, 40, 41, 42

Dans la collection *Les Essentiels Milan*
derniers titres parus

190 La médecine de demain, le gène apprivoisé
191 À quoi sert l'architecture ?
192 Le monde juif
193 Questions sur le cancer
194 L'alimentation de demain
195 La Bourse sur Internet
196 Prévenir les catastrophes naturelles ?
197 Petite philosophie du bonheur
198 Les violences sexuelles
199 Les fonctionnaires
200 Entreprendre une psychanalyse ?
201 Le sommeil, bien dormir enfin
202 La laïcité
204 Les pharaons d'Égypte
205 Marx face à l'Histoire
206 Questions sur les Palestiniens
207 L'homosexualité, entre préjugés et réalités
208 La République
209 Les troubles du comportement alimentaire
210 Aristote, ou l'art d'être sage
211 Le Coran
212 L'Afghanistan, otage de l'Histoire
213 La guerre d'Espagne
216 L'anarchie, une histoire de révoltes
217 Victor Hugo, un écrivain dans son siècle
218 La géopolitique et ses enjeux
219 Céline, les paradoxes du talent
220 Prévenir les accidents technologiques ?
221 Les trafics du sexe – Femmes et enfants marchandises
222 L'engagement des intellectuels au XXᵉ siècle
223 Les associations et Internet
224 L'aide au développement à l'heure de la mondialisation
225 Les Français sous Vichy et l'Occupation
226 Questions sur le divorce
227 Guide du Sénat

Dans la collection *Les Essentiels Milan Junior*

20 Guide du délégué de classe
21 Comprendre nos petites maladies
22 Sur les traces des Gaulois
23 L'espace, une aventure sans limites
24 On divorce – La vie continue
25 Les hommes préhistoriques
26 La mythologie et ses super-héros
27 L'amour, la sexualité et toi
28 La justice – C'est qui ? C'est quoi ?
29 Ce qui te fait peur
30 Télé : ouvre l'œil !
31 La vie des monstres
32 Garçons et filles : tous égaux ?
33 Pourquoi la guerre ?
34 Pourquoi tant d'émotions ?

Responsable éditorial
Bernard Garaude
Directeur de collection
Dominique Auzel
Assistant d'édition
Pierre Polomé
Correction-Révision
Claire Debout
Maquette intérieure
Didier Gatepaille
Iconographie
Anne Lauprète
Stéphane Murat
Conception graphique
et couverture
Bruno Douin
Fabrication
Isabelle Gaudon
Magali Martin

Crédit photos

p. 3 : © L. White - Corbis / p. 9 :
© O. Morin - AFP / p. 18 :
© E. Morcrette - Stock Image /
p. 21 : *Trois hommes et un couffin*,
C. Serreau – © Cat's /
p. 39 : © B. Binzen - Corbis /
p. 42 : © Hadj - Hounsfield - Sipa /
p. 49 : © L. Delahaye - Sipa / p. 54 :
© Rue des Archives
*Les erreurs ou omissions
involontaires qui auraient pu
subsister dans cet ouvrage malgré
les soins et les contrôles de l'équipe
de rédaction ne sauraient engager
la responsabilité de l'éditeur.*

© 2003 **Éditions MILAN**
300, rue Léon-Joulin,
31101 Toulouse Cedex 9 France

ISBN : 2-7459-0838-3
D. L. avril 2005
Aubin Imprimeur, 86240 Ligugé
Imprimé en France